现代流域管理探索

——首届黄河国际论坛技术总结

U0343818

黄河水利出版社

图书在版编目（CIP）数据

现代流域管理探索/尚宏琦主编. —郑州：黄河
水利出版社，2004.10
ISBN 7 – 80621 – 807 – 6

Ⅰ.现… Ⅱ.尚… Ⅲ.①流域管理 – 河道整治
②水利资源开发 – 研究 Ⅳ.TV882.1

中国版本图书馆 CIP 数据核字(2004)第 076539 号

出 版 社：黄河水利出版社
　　　　地址：河南省郑州市金水路 11 号　　邮政编号：450003
发行单位：黄河水利出版社
　　　　发行部电话及传真：0371－6022620
　　　　E-mail:yrcp@public.zz.ha.cn
承印单位：河南省瑞光印务股份有限公司
开本：787 毫米×1 092 毫米　1 / 16
印张：9.5　　　　　　　　　　　插页：16
字数：171 千字　　　　　　　　印数：1—1 000
版次：2004 年 10 月第 1 版　　　印次：2004 年 10 月第 1 次印刷
书号：ISBN 7 – 80621 – 807 – 6 / TV·362　　　　定价：30.00 元

首届黄河国际论坛回眸

首届黄河国际论坛于2003年10月21～24日在黄委举行。这是黄河治理开发中的一件大事，来自世界五大洲32个国家和地区的300多位代表出席了本届大会，共有258篇论文在大会上交流，会议取得了圆满成功。通过这次国际会议，初步实现了"让黄河走向世界，让世界了解黄河"的目标，并决定在2005年举办以"维持河流健康生命"为主题的第二届黄河国际论坛。

为使大家充分了解黄河国际论坛及取得的丰硕成果，我们从众多的会议资料中挑选出部分有代表性的图片展示给大家，希望通过图文并茂的形式再现黄河国际论坛的盛况。

黄河国际论坛组织委员会

首届黄河国际论坛回眸

黄委李国英主任大会发言

论坛主席台

黄委李国英主任在大会上作学术报告

与会代表聆听大会发言

开幕式

水利部副部长索丽生发言

大会会场

论坛主会场一角

黄委李国英主任认真记录

黄委领导商讨问题

论坛主会场一角

开幕式及大会报告

水利部副部长索丽生教授作大会发言

法国罗讷河流域委员会主席罗赛尔教授

澳大利亚墨累 - 达令河流域委员会主席丹·布莱克莫尔教授

中国科学院院士、北京师范大学刘昌明教授

荷兰德·福瑞特教授

亚美尼亚共和国副部长阿绍特

美国密西西比大学王书益教授

亚洲开发银行汤姆南先生

美国地质调查局琼格瑞先生

黄委领导出席了论坛大会

黄委石春先副主任在大会作报告

大会报告

荷兰冯·贝克教授

黄河水利科学研究院总工程师姚文艺教授

芬兰皮特·瑞特教授

黄委勘测规划设计研究院院长李文学教授

IWMI 戴维·摩登教授

美国麻省理工大学梁恩佐教授

黄委党组成员、办公室主任郭国顺在大会上

代表们认真地听报告

大 会 报 告

首届黄河国际论坛回眸

清华大学教授、博士生导师王光谦在大会上发言

IWMI 伊·麦肯教授

黄委水文局牛玉国局长

荷兰驻华使馆－秘涅文浩在中荷合作项目启动会上讲话

中国经济技术交流中心主任王粤研究员

荷兰诺斯曼教授

黄河流域水资源保护监测中心总工程师张曙光教授

黄委防汛办公室主任张金良教授

日本山黎大学徐宗学教授

黄河水利科学研究院院长时明立教授

IWMI伊·麦肯代表CA专题会场总结发言

大 会 报 告

首届黄河国际论坛回眸

黄河国际论坛
2003 IYRF

李国英主任会见法国罗讷河流域委员会主席
罗赛尔

索副部长与IWMI首席专家亲切交谈

李国英主任与澳大利亚、法国、英国有关流域管理
机构主席交谈

索丽生副部长与美国宓正教授

李国英主任会见美国专家

美国王书益教授与法国佛瑞查德教授

李国英主任与罗赛尔主席

会间交流

黄河国际论坛
2003 IYRF

首届黄河国际论坛回眸

李国英主任与会议代表交谈

黄委原主任龚时旸与台湾水利界元老冯钟豫教授

法国罗讷河流域委员会罗赛尔主席与波弗德局长

陈志恺院士与龙毓骞教授

刘昌明院士与李会安教授交流

分会场主持人协调会

会间休息

会间交流

李国英主任代表黄委接受嘉宾礼品

李国英主任向外国专家赠送专著

李国英主任与立陶宛农业研究所副所长尤根尼加·贝克西尼教授

黄委黄自强副主任与美国宓正教授交谈

芬兰皮特·瑞特教授与中国专家交谈

黄委刘晓燕局长与外国专家交谈

水利部刘建明副司长与美国田纳西河流域管理局前主席柯罗维尔

英国泰晤士河流域管理局斯普里特局长助理与组委会秘书长尚宏琦教授交谈

会间交流

美国密西西比大学教授王书益与美国麻省理工大学梁恩佐教授在交谈

黄委原主任龚时旸与水利部原司长戴定忠教授

荷兰水利专家诺斯曼教授与邬晓波博士

英国专家帕克逊与中国专家交流

亚美尼亚共和国副部长阿绍特
与参加会议代表

德国联邦水文研究院院长助理高兹教授与代表交流

会间休息

会间交流

荷兰使馆－秘涅文浩与荷兰专家交谈

首届黄河国际论坛回眸

水文测报及监测分会场

黄委水资源保护局局长董保华主
持会议

中外专家在专题会上

黄委副主任黄自强教授与陈效国教授在流域管理与水资源分会场

专题研讨

首届黄河国际论坛回眸

流域水资源管理分会场

黄委科学技术委员会主任陈效国教授与中外专家在会场

河道整治与泥沙专题分会场

专题研讨

刘晓燕局长主持专题会议

数学模拟与IT技术分会场

外国专家在大会上

流域水资源管理分会场

中科院水保所所长李锐教授发言

专题研讨

首届黄河国际论坛回眸

黄河国际论坛
2003 IYRF

流域一体化管理及水资源分会场

流域生态环境保护分会场

中外专家在分会场

跨行政区水资源管理分会场

专题研讨

首届黄河国际论坛回眸

黄河青年流域一体化管理会场

认真提问

青年对话主持人

李国英主任在青年对话会上回答问题

李国英主任在青年对话会上为青年代表签字

积极提问

青 年 对 话

首届黄河国际论坛回眸

黄河国际论坛
2003 IYRF

嘉宾回答提问

青年对话会特邀嘉宾及主持人

黄河青年流域一体化管理对话会

中荷合作项目启动会会场一角

青年对话及项目启动

中荷合作——建立基于卫星的黄河流域水监测和河流预报系统项目启动会

水利部副部长索丽生接受媒体采访

李国英主任接受中央电视台等媒体采访

黄河国际论坛领导小组组长、黄委黄自强副主任接受中央电视台记者采访

中科院院士刘昌明接受记者采访

IWMI首席科学家戴维·摩登接受记者采访

美国密西西比大学王书益教授接受黄河电视台采访

IWMI亚洲部主任伊·麦肯接受记者采访

荷兰诺斯曼教授接受采访

媒体采访

中国水利水电科学研究院王浩教授

黄委水文局牛玉国局长

法国罗讷河流域委员会主席
皮埃尔·罗赛尔接受中央电
视台采访

澳大利亚墨累－达令河流域委员会主席丹·布莱克莫尔
教授

台湾水利界元老冯钟豫

驻华使馆－秘涅文浩

外国专家接受记者采访

荷兰德尔福特水力学研究所所长德·福瑞特　　荷兰德尔福特大学冯·贝克教授接受采访　　　　　国际水力学会副主席玉井信行(日本)

媒体采访

首届黄河国际论坛回眸

黄河国际论坛
2003 IYRF

与会代表步入黄河博物馆

与会代表参观数字化流域图

与会代表听取黄河博物馆工作人员介绍

乌兹别克斯坦专家在黄河博物馆签字留念

与会专家听取有关黄委科学试验基地情况介绍

会议代表参观黄河水调中心

采集资料

技术参观

首届黄河国际论坛回眸

与会专家在花园口水质自动监测站签名留念

与会专家参观花园口水质自动监测站

与会专家参观模型大厅

中外专家参观黄河花园口

技术参观

在花园口数字水文站听取有关介绍

远眺黄河

国内外水利专家考察黄河花园口

在花园口数字水文站顶楼鸟瞰黄河

吸引力

我们到黄河了

技术参观

黄自强副主任主持欢迎宴会

李国英主任在欢迎宴会上致辞

乌兹别克斯坦贵宾给李国英主任整理民族服装

索丽生副部长与荷兰德尔福特水力
学研究所所长德·福瑞特举杯同贺

李国英主任在宴会上与乌兹别克斯坦贵宾

黄委黄自强副主任祝酒

李国英主任在欢迎宴会上
与乌兹别克斯坦贵宾

黄委廖义伟副主任与贵宾交流

黄委徐乘副主任与贵宾举杯共贺

黄委石春先副主任在欢迎宴会上敬酒

宴会与演出

澳大利亚墨累-达令河流域主席在
欢迎会上祝酒

欢迎宴会贵宾

宴会歌场

欢送宴会兴高采烈

黄委廖义伟副主任向贵宾敬酒

欢迎宴会一角

会议代表观看杂技演出

宴 会 与 演 出

黄河国际论坛
2003 IYRF

首届黄河国际论坛回眸

黄委党组听取国际论坛筹备及国际会议厅改造方案汇报

论坛领导小组检查国际会议厅改造

黄委党组成员郭国顺指导国际会议厅改造

水利部刘建明副司长
指导论坛筹备工作

国际会议厅改造验收

国际会议厅改造回放

会议组织与保障

黄委党组最后听取论坛组织工作汇报

战前动员

会前演练

硕果累累

会议组织与保障

会议代表注册

会议咨询

志愿者在行动

志愿者熟悉资料

会议注册

紧张工作

发言资料拷贝

繁忙的大会秘书处

会间安全保卫

卫生安全检疫

医疗卫生防疫

会议组织与保障

首届黄河国际论坛回眸

会议代表抵达会场

瞧我的

聚焦

长枪短炮齐上阵

网上直播

会议现场电视直播

大会同声传译

国际会议厅中心控制室

会议组织与保障

大会发言多媒体备份

会间休息

信息查询

会议信息公告

美国水利专家梁恩佐参观黄河水利出版社展位

黄河成就展

会议组织与保障

首届黄河国际论坛回眸

黄河国际论坛
2003 IYRF

尾 声

　　首届黄河国际论坛的成功举办，初步实现了"让黄河走向世界，让世界了解黄河"的长期构想，达到了预期的目的，取得了丰硕的成果。与会代表返回后纷纷致电致函黄委李国英主任或论坛组委会尚宏琦秘书长，盛赞会议的成功举办。限于篇幅，以下选摘数则。

　　法国罗讷河流域委员会主席罗赛尔：在这次会议中，黄委所面临的严峻挑战给我们留下深刻的印象。黄委在管理这项繁重任务时体现的科学水平也让我难以忘怀。

　　法国国际水管理局副局长丹尼斯·佛梅优：参加第一届黄河国际论坛是我莫大的荣耀，我也非常高兴得以借此机会结识您及黄委的同事们。第一届黄河国际论坛是一次硕果累累的盛会。

　　美国密西西比大学王书益教授：我衷心地感谢您在会议期间对我的热情关照，并热烈祝贺第一届黄河国际论坛的成功召开。

　　荷兰 IHE 德拉特教授：论坛的大会、分会、技术参观等活动准备充分，收到了很好的效果，我非常高兴地目睹 UNESCO—IHER 的毕业生在种种需要他们的活动中表现出色，为论坛作出了贡献。

　　加拿大 CIPM 国际公司总裁阿伏德·汉纳：第一届黄河国际论坛是一次非常成功的盛会，它为来自世界各地的专家提供了交流技术成果及水资源管理经验的良机。通过第一届黄河国际论坛，我们对黄河水利委员会的管理及你们面临的治理黄河的严峻挑战有了更深入的了解。我们深信在您的领导和指导下，黄委的工作人员将成功地实施"三条黄河"建设。我们期待着在"三条黄河"建设中和黄委进行合作。

　　美国盖安德工作总裁柯罗维尔：此次论坛真是成功，可谓"一流的组织，一流的规模，一流的专家，一流的服务，超一流的反响"。

编 辑 委 员 会

前　言

　　由水利部黄河水利委员会主办，国际水管理研究所(IWMI)、亚洲开发银行(ADB)、中国经济技术交流中心(CETEC)、国家自然科学基金委员会(NSFC)、中国水利水电科学研究院(IWHR)、清华大学、全国人大环境资源委员会法案室、中国水利学会(CHES)协办的首届黄河国际论坛(2003 IYRF)2003 年 10 月 21～24 日在郑州举行。来自世界 32 个国家和地区的 300 多位管理政要、专家学者参加了本届大会。

　　本届黄河国际论坛以"21 世纪流域现代化管理模式与管理经验、流域管理现代技术应用"为主旋律，在中心议题框架下，渗透到流域管理、高新技术等各个层面，围绕现代化流域管理等热点问题进行了深入、开放式的研讨。整个论坛结构设置科学合理、内容丰富，既遵循了国际惯例，又体现了黄河特点。

　　论坛设中心主会场和流域管理及水资源、数学模型及 IT 技术、挑战计划(CA)、水文测报及监控技术、流域调水水权水市场、河道整治、生态环境保护、法规建设和水污染以及青年论坛等专题会场。各位专家、学者围绕流域管理、水资源、生态环境、河道整治及泥沙研究、水文测报、信息技术等作了百余场精彩报告。论坛还采用对话会、技术研讨会、会上会下自由沟通等多种形式进行了充分交流。

　　为了更好地吸收世界各国流域管理的先进理念和经验，特对参会论文进行了简要的技术总结。对其中有代表性的国内外专家的观点，根据大会记录进行了整理和编写。本书由尚宏琦教授主笔，张绍峰、张华兴统稿，孙凤、张建中、郑发路、袁中群、张绍峰、张华兴、王国庆、王丙轩、苏青、童国庆、吴纪宏、薛云鹏、朱庆平、余欣、杨明、王艳平、宋慧萍、江珍、贺秀正、尚彩霞、张美丽、孙扬波、李跃辉、庞慧、范洁、姬瀚达等参加了编写工作。所有参会论文和具体内容已全部收入《黄河国际论坛论文集》。

在技术总结编写过程中，得到了水利部、黄河水利委员会(以下简称黄委)领导、黄委所属有关单位及部门的大力支持，在此一并表示感谢！

由于时间紧迫，论坛技术要点的记录可能有所遗漏。加上编者水平有限，不足和错误之处在所难免，敬请读者批评指正。

编　者

2003 年 11 月于郑州

目 录

前 言
第1章 首届黄河国际论坛回眸 ……………………………………………(1)
  1.1 会议特点和共识 …………………………………………………(1)
  1.2 首届黄河国际论坛的主要收获 …………………………………(2)
  1.3 举办首届黄河国际论坛的认识和体会 …………………………(3)
第2章 首届黄河国际论坛主会场大会专题报告与流域一体化管理及
      黄河研究对话会技术总结 ……………………………………(8)
  2.1 论文及大会报告统计 ……………………………………………(8)
  2.2 参会报告概况及技术综述 ………………………………………(8)
  2.3 对黄河流域管理工作的启发 ……………………………………(16)
第3章 首届黄河国际论坛流域水资源管理专题总结 …………………(17)
  3.1 概述 ………………………………………………………………(17)
  3.2 流域水资源管理专题的主要内容 ………………………………(17)
  3.3 认识与体会 ………………………………………………………(31)
第4章 首届黄河国际论坛数学模型及IT技术专题研讨会小结 ………(34)
  4.1 概况 ………………………………………………………………(34)
  4.2 模型特点 …………………………………………………………(34)
  4.3 对黄河模型系统发展的建议 ……………………………………(47)
  4.4 主要认识 …………………………………………………………(48)
第5章 首届黄河国际论坛"挑战计划"分会场技术总结 ………………(50)
  5.1 概述 ………………………………………………………………(50)
  5.2 认识和体会 ………………………………………………………(59)
  5.3 小结 ………………………………………………………………(60)
第6章 首届黄河国际论坛水文测报及监控技术专题总结 ……………(61)
  6.1 传统水文向现代水文转变是社会经济发展的必然要求 ………(61)
  6.2 黄河水文、水质监测技术现状与发展方向 ……………………(62)
  6.3 美国地质调查局悬移质含沙量和泥沙粒径分析系统 …………(62)
  6.4 加拿大Manitoba大学的河冰研究 ……………………………(63)
  6.5 基于卫星监测降水和蒸(散)发的黄河流域水管理 …………(64)

　　6.6　国际流域研究网 ....(67)

　　6.7　参数不确定性对新安江模型预报精度的影响 ....(68)

　　6.8　资料选择对新安江模型径流预报的影响 ....(70)

　　6.9　分布式水文模型在黄河流域的发展 ....(71)

第7章　首届黄河国际论坛流域调水、水权及水市场专题综述 ....(72)

　　7.1　流域内调水 ....(72)

　　7.2　跨流域调水 ....(76)

　　7.3　流域水权 ....(82)

　　7.4　经济手段 ....(87)

第8章　首届黄河国际论坛河道整治专题总结 ....(90)

　　8.1　河道整治 ....(91)

　　8.2　泥沙治理 ....(106)

　　8.3　水库运用 ....(113)

第9章　首届黄河国际论坛流域生态环境保护专题综述 ....(126)

　　9.1　泥沙问题 ....(126)

　　9.2　水质恶化问题 ....(128)

　　9.3　湿地退化问题 ....(129)

第10章　首届黄河国际论坛跨行政区水污染管理专题综述 ....(130)

　　10.1　关于跨行政区水污染管理立法问题 ....(130)

　　10.2　关于跨行政区水污染管理机构设置问题 ....(132)

　　10.3　评价及建议 ....(132)

第11章　中荷合作——建立基于卫星的黄河流域水监测和河流

　　　　预报系统项目启动会技术总结 ....(135)

第12章　首届黄河青年流域一体化管理对话会技术总结 ....(137)

　　12.1　概况 ....(137)

　　12.2　内容 ....(137)

　　12.3　体会和建议 ....(143)

第 1 章　首届黄河国际论坛回眸

首届黄河国际论坛于 2003 年 10 月 21～24 日在郑州举行。10 月 24 日下午，在一片欢呼与喝彩声中，首届黄河国际论坛落下了帷幕。正像黄委李国英主任在首届黄河国际论坛总结报告中所说的那样："这次论坛是新时期黄河治理开发中的一件盛事，是一次以黄河为平台、增进国际水利学术交流与合作的创举"，"会议达到了预期的目的，取得了丰硕的成果"。黄委决定于 2005 年举办以"维持河流健康生命"为主旋律的第二届黄河国际论坛。现把首届黄河国际论坛成果进行简要总结。

1.1　会议特点和共识

在进入 21 世纪的今天，国际上诸多河流在治理开发与管理中面临着许多问题，黄河作为世界上最复杂难治的河流，目前也存在许多未被认知的自然规律和重大问题，亟待人们去探索。需要建立一个平台来沟通各个国家和地区河流治理开发的成功经验，集思广益、博采众长，共同研究解决黄河问题及世界流域管理所面临的共性问题。因此，首届黄河国际论坛的召开，可以说是适逢其时，它将为推进世界流域一体化产生重大而深远的影响。

首届黄河国际论坛不仅是第一次在中国河流上召开的大型国际研讨会，而且在国际河流上也是首创。共有 32 个国家和地区的 300 多位管理政要、专家学者出席了会议，收到论文 258 篇。为了及时向国内外广泛传播大会盛况，论坛充分利用现代化信息技术，除设立中心会场之外，还设有 8 个异地分会场和流域水资源管理等 10 个专题会场，规模宏大，形式独特，手段先进，传播迅速，为举办大型河流国际会议积累了成功的经验。国内外与会专家对大会给予了高度评价："本届论坛从策划筹备，到实施举行，气势恢弘，组织严谨，安排周密，准备充分，举办得非常成功。"

整个会议期间，在大会发言与会下交流中，各位专家、学者都明显地感受到，本届黄河国际论坛是以"21 世纪流域现代化管理模式与管理经验、流域管理现代技术应用"为主旋律，在中心议题框架下，渗透到流域管理、高新技术等各个层面。整个论坛结构设置科学合理、内容丰富，既遵循了国际惯例，又体现了黄河特点，会议举办得有声有色。

来自世界五大洲 32 个国家和地区的专家学者参加了本届大会。交流成果涉及流域管理、水资源、生态环境、河道整治及泥沙研究、水文测报、信息技术等许多学科，具有广泛的代表性。大家从多视角分析了河流治理及其流域管理，把各个国家的流域管理经验模式带入黄河国际论坛这一平台。同时，许多国际专家非常关注黄河问题，对黄河治理开发提出了一些新的观念和独到的看法。各种学术思想的融会交流构成了本次论坛多层面的学术价值。

1.2 首届黄河国际论坛的主要收获

1.2.1 首届黄河国际论坛为世界诸多国家和地区水利界广泛交流与对话提供了良好的机会

在首届黄河国际论坛上，有200多位专家围绕流域一体化管理的中心议题发表了新的观点和认识，介绍了他们具有建设性的最新研究成果。譬如，澳大利亚墨累－达令河流域委员会主席丹·布莱克莫尔(Don Blackmore)先生的报告"澳大利亚墨累－达令河的水权交易"等。

1.2.2 开阔了视野，建立了友谊

会议期间，各位专家同仁热情友好，相互交流，大家都以不同的方式表达了彼此的友好之情。老朋友加深了友谊，新朋友建立了联系。对我们来说，通过首届黄河国际论坛，足不出户，走向了世界；对各位来宾来说，不仅认识了黄河，而且也了解了中国古代文明和现代文明，大家都感到收获颇丰。

1.2.3 增进了了解，扩大了合作

此次盛会采用对话会、技术研讨会、会下自由交流等多种形式进行了充分交流。会议设立了青年分会场，举行了黄河青年流域一体化管理对话会。会议期间，中荷合作——建立基于卫星的黄河流域水监测和河流预报系统正式启动。国(境)内外一些与会代表已经与黄委有关专家建立了密切联系，为今后合作奠定了基础，把相互之间的合作推向了新的高潮。

1.2.4 首届黄河国际论坛把黄河推向国际舞台，提高了黄河的国际知名度

在首届黄河国际论坛开幕和欢迎宴会的奏鸣曲中，来自32个国家和地区的代表，把目光投向黄河，投向中国水利。只有研究黄河才能了解中国古代文明和现代文明、只有研究黄河才具有挑战性成为大家的共识。在与外国专家交谈中，我们清晰地听到这样的对话——问："你在黄河做了哪些研究工作？"答："我们正在寻求合作机会，刚刚开始接触黄河。"问题使一些专家感到很难为情，似乎没有在黄河做研究工作，参加本届黄河国际论坛就没有发言权。

1.2.5　提高了黄河的国际影响力和黄河人的知名度，改善了黄委的精神风貌

国内外很多专家非常惊讶地发现在黄河管理机构——黄委办公场所可以举办大型国际会议，这在国际上其他任何流域机构都是不可能实现的。黄河管理机构拥有这么先进的设备和办公条件，有这么快捷的信息渠道，可以同时在局域网、电视和互联网上对大会现场进行直播，同时有几千人收看大会盛况，这很难想像。"黄河人有巨大的魄力，黄河流域可以成就大事"，很多外国专家都这么说。同时，在会议期间，我们细心发现黄委机关职工的精神风貌有很大的改观，大部分人西装革履，衣冠整洁，全都文明礼貌，与大会气氛很和谐。

1.2.6　首届黄河国际论坛把国际带入黄河，同时黄河人也融入国际

在黄委只有很少人参加过国际会议，大部分人不知道什么是国际会议，更不知道什么是国际论坛及同声传译等。现在看来，无论是参加会议的代表还是在分会场参加会议、在家里收看电视直播的职工，都对国际会议有了较为清晰的认识和体会，黄河人开始融入国际。

1.2.7　首届黄河国际论坛的成功举办也提高了河南省及郑州市的国际知名度

通过对参加国际论坛代表的了解，我们发现，很多人是初次来中国，并且首先逗留河南郑州的；一些人来过中国，但只到过北京和广州等地，从来没有到过郑州，更对河南了解甚少。现在他们知道了，郑州在黄河岸边，黄委设在郑州，对中国文明也有了初步的了解。首届黄河国际论坛把河南及郑州的知名度提高到了国际水平。

总之，通过首届黄河国际论坛，初步实现了"让黄河走向世界，让世界了解黄河"的预期构想。

1.3　举办首届黄河国际论坛的认识和体会

本届黄河国际论坛在郑州举办，特别是在流域机构举办，在国内是首次，在国际上也是首创。据了解，世界上还没有其他任何一个流域机构举办过规模如此宏大的会议。从论坛的筹备到会议的成功举办，认识和体会颇多，现简要归结如下。

(1)气势磅礴，勾画宏伟。从 2001 年黄河国际论坛定位和命名之初，就体现出黄委高层领导对黄河国际论坛气势磅礴的宏伟勾画和设想，并为此作出一系列指示，把黄河国际论坛作为一个国际品牌，通过一系列的论坛把黄河推向国际舞台，实现"让黄河走向世界，让世界了解黄河"的长期构想，并在诸多国际学会和论坛中树立一个"世界名牌"。首届黄河国际论坛初步实现了这一目标，锁定了第二届黄河国际论坛的主题："维持河流健康生命"，

证明了黄河国际论坛的设计宏伟，构想远大。

(2)决策英明，指挥到位。为使首届黄河国际论坛达到预期的目的，黄委党组高度重视筹备工作，成立了首届黄河国际论坛领导小组。在论坛筹备过程中，首届黄河国际论坛组织委员会及其领导小组，多次听取论坛秘书处的汇报，及时把握论坛筹备的方向，并对筹备工作中的问题及时处理。在国际会议厅改造工作中，黄委领导多次召开专题办公会，并现场检查和处理问题。在论坛组织和临会阶段，两次召开委属单位和部门的协调会，布置工作。我们的体会是：黄委领导决策英明、指挥到位是本届黄河国际论坛成功举办的核心和关键。

(3)组织严密，实施得力。按照论坛组织委员会和领导小组的指示，黄河国际论坛秘书处及黄委国际合作与科技局对论坛的筹备工作进行了详细的筹划，并制定了论坛筹备工作流程图和完成时间表。其内容包括：上报国务院台办、科技部、水利部的文件、汇报及请示，论坛组委会文件、会议通知、邀请函与国内外的信件等数千件，都按照预定的计划实施，做到了有序安排，可谓是：组织严密，实施得力。

(4)配合紧密，通力合作。首届黄河国际论坛的筹备和组织是黄委2003年工作的一件大事。在筹备和组织过程中，论坛秘书处与委属有关单位和部门，紧密配合、通力合作，为论坛的成功召开奠定了基础。特别是在会议筹备和会议组织工作中，黄委办公室、新闻宣传出版中心等给予了密切配合，有力地推动了筹备工作的进程。在临会期间，委属单位和部门给论坛以大力支持，如：信息中心提供了计算机信息查询设备，通信保障，技术服务；黄委防汛办公室、建设管理局把有限的笔记本电脑支援给会务组使用；黄委机关服务处全力配合会场布置及服务工作、安全保卫及防范工作；黄委黄河服务中心为论坛提供了外部环境和卫生保洁工作；黄河中心医院每天下午7时准时对会议厅及公共场所进行消毒，为大会卫生防疫及健康做了大量细致的工作。还有，黄委机关水资源管理与调度局、水政局、财务局、水土保持局及委属单位河南黄河河务局、水文局、水资源保护局、水利科学研究院、黄河博物馆、勘测规划设计研究院等在分会场组织、参观考察等活动中积极配合；黄河网站及黄河有线电视台等通力合作也为论坛的成功举办奠定了基础。

(5)安排到位，有条不紊。在论坛筹备、临会准备及大会期间，黄河国际论坛秘书处各会务组负责人，认真准备，准确到位，及时把有关材料收集到位，把每个人的责任分配到位，并把会议的最新信息和情况公布告知每位参加会议的代表，各项工作都安排到位，做到了有条不紊。如：多媒体拷贝、会议同传资料、上网材料、有关专家的背景材料、会议通知、会间休息、专家采访、会议议程及相关报告等都做了预案及备份，做到了万无一失。

(6)大会报告成果卓著。大会报告交流是富有成效的，尽管大家做好了提问的准备，由于发言人都想借用这个机会和场合充分展示成果，减少了现场交流提问的时间，但得到了大量的信息。对中外研究对比，特别是对黄河研究与国外的对比，都有了清醒的认识，收效是巨大的。特别是流域管理的概念、生态环境及河流生命理念、高新技术应用、水市场及交易、河道整治等方面，展示给大家一个全新的理念。

(7)交流对话富有成效。在会间休息期间，与会代表并没有真正休息，大家都在寻找感兴趣的问题并与相关专家进行交流，使所关注的问题讨论得更加深入。很多交流是在休息期间进行的，这样做既交流了成果，也结交了朋友，一举两得，故其交流对话是富有成效的。

(8)专题研讨收效丰厚。在专题研讨会上，昔日远在天涯只有书函来往的同行和同专业的专家，论坛的专题会场使他们坐在了一起，共同探讨所关心的问题，使问题更加清晰和具体，为今后开展合作奠定了基础。如：数学模型和 IT 专业会场集中了来自世界各国的著名数学模型顶尖级的专家，讨论异常热烈，所讨论的问题都是现代技术的核心问题。河道整治及泥沙研究也有新理念、新设想，总之，专题讨论收效丰厚。

(9)青年会场充满生机。青年分会场作为首届黄河国际论坛的一个组成部分，为论坛增添了丰富的内容。在青年分会场，我们把世界著名河流的高层管理者请到对话现场，与黄河青年对话。此举具有深远的意义：一方面，实现了黄河青年与高层流域管理者直接接触，让"初出茅庐的书生"领略到了流域管理者的先进管理经验，了解和感知他们的内心世界；另一方面，也使黄河青年体会到流域管理的魅力和从事水利事业的光明前景。青年分会场集流域管理概念化、专业化和幽默于一体，可谓是：热情奔放，充满生机，效果良好。

(10)项目启动被广为关注。作为首届黄河国际论坛的一个组成部分和花絮，中荷合作——建立基于卫星的黄河流域水监测和河流预报系统已启动，并确定下一阶段水利合作的重点是将以黄河流域为中心，这标志着中荷双方在黄河流域大规模合作的开始。参加启动仪式的水利部国际合作与科技局刘志广处长说，在中荷水利管理联合指导委员会最近召开的第四次会议上，已确定下一阶段中荷水利合作的重点是以黄河流域为中心。这些都引起广泛的关注，世界很多新闻媒体对此都做了报道。

(11)技术考察震惊国际。黄河国际论坛技术考察，国内外很多专家通过只在电视和图片上看到的黄河与现实的黄河对比，感触巨大。法国罗讷河流域委员会主席罗赛尔及威廉局长在给李国英主任的感谢信中说："我很高兴再次给您联系，以表达对您的诚挚谢意。在这次会议中，黄委所面临的严峻挑战给我们留下了深刻印象，黄委在管理这项繁重任务时体现的科技水平也让我难以忘怀。最后，希望借助这封邮件对论坛的成功组织表示祝贺。"加拿大 CIPM 总裁 HANNA 先生说："李主任，通过首届黄河国际论坛，我们对黄委管理及你们面临的治理黄河的严峻挑战有了更深的了解，在你的领导下黄委将会成功实现'三条黄河'建设，我们期待与黄河的合作。"

(12)众多媒体聚焦黄河。首届黄河国际论坛吸引了国内外 19 家媒体的广泛关注，英国 BBC 电视台专门对首届黄河国际论坛的盛况进行了报道，中央电视台、中央广播电台、河南电视台及《人民日报》等国内媒体也对论坛从不同侧面进行了专题报道，很多知名的网站也都可以搜索到黄河论坛的信息。

(13)宴请宾朋，加深友情。在首届黄河国际论坛开幕的当天，论坛组委会宴请了参加会议的贵宾，气氛非常热烈。随着乌兹别克斯坦国家水利科学研究所所长向李国英主任赠送礼品——国服和李国英主任的祝酒，把宴会气氛推向高潮。清华大学教授风趣地说："这次论坛以东方文明的方式宴请贵宾，顷刻间把黄河推向国际舞台，与此同时黄河也成为世界诸河之王。"在座的很多中外来宾及代表都有共同的感受。以东方文明的方式宴请嘉宾，的确沟通了情感，加深了友情。

(14)广交朋友，开展合作。在首届黄河国际论坛这个国际大平台上，受益最大的当属黄委。通过论坛，黄委加强了对外界的联系，使过去对黄河不了解的国内外专家有机会亲临黄河考察，体会到了黄河与东方文明。黄委周到的安排加深了国内外专家对黄河的感情和对黄河人的信任与理解，建立了新的对外渠道，加大了合作机遇和力度。

(15)国际论坛，世界瞩目。本届黄河国际论坛把世界水利界的专家聚集到一起，形成一个国际大舞台，让世界各国的专家共同研讨流域管理问题，同时展示了黄河的魔力和治理成就，很多外宾反馈的信息就充分说明了这一点，现略举几例：

美国：田纳西河流域管理局前主席柯罗维尔总裁说，本次论坛是"一流的组织，一流的规模，一流的专家，一流的服务，超一流的反响"，希望有更多的合作机会。

英国：泰晤士河流域管理局局长助理斯普里特高级顾问说："黄河成就和科技使我很震惊，我不虚此行。我们期待黄河代表团访问英国，我们将给您周到的安排。"

　　法国：罗讷河流域委员会主席罗赛尔说，"希望黄河代表团再次访问法国，但我希望你们不要像过去访问那样，只是为了工作，停留太短，希望下次多停留几天，在考察流域的同时，也要欣赏一下法国南部风光。"罗讷河国家公司国际合作处处长也表达了同样的心情。

　　还有，澳大利亚、芬兰、印度、立陶宛、亚美尼亚、日本、韩国等代表纷纷来函感谢，表示了到他们国家访问及合作的愿望，并希望在第二届黄河国际论坛会议上再次相见。

　　首届黄河国际论坛的体会与收获是巨大的，不能用简单的数字表示；收效是全方位的、立体的、无形的、历史的和未来的。假如我们试图用数字来表示，那么经济指标可能会更有说服力。本次参加会议的国(境)外代表 110 人，代表 32 个国家和地区。无论我们率团访问还是单独邀请，没有千万元成本很难完成，也未必能达到预期的效果。

　　总之，首届黄河国际论坛的成功举办为第二届黄河国际论坛的举办积累了丰富经验，也为"让黄河走向世界，让世界了解黄河"这一长期构想的实现奠定了良好基础。

第 2 章　首届黄河国际论坛主会场大会专题报告与流域一体化管理及黄河研究对话会技术总结

为期三天的首届黄河国际论坛在黄河水利委员会李国英主任洪亮的"让我们两年之后再相会"声中落下帷幕。

正如媒体所评价的那样：这次论坛是新时期黄河治理开发中的一件盛事，是一次以黄河为平台、增进国际水利学术交流与合作的创举。会间，来自世界 32 个国家和地区的专家、学者、高层管理人士从河流治理开发、工程建设、流域管理、生态与环境保护、信息技术应用等方面，分别介绍了各自的成功经验，发表了许多具有创新价值的学术观点，对黄河治理开发与管理提出了不少可供借鉴的经验建议。会上会下，发言热烈，交流广泛，盛况空前，会议达到了预期的目的，取得了丰硕成果。

几天来，作为大会工作人员，我们始终坚守在主会场的工作岗位，与大家一起领略了这次学术活动紧张的节奏、热烈的气氛和顶尖水利专家带来的世界领先技术。为了更好地学习先进技术、消化吸收流域管理成功经验，对论坛主会场典型报告及有代表性的技术观点简要总结如下。

2.1　论文及大会报告统计

首届黄河国际论坛主会场共安排了 5 篇大会报告，29 篇专题报告。其中，关于流域管理的 12 篇，工程技术的 12 篇，生态及环境保护的 7 篇，水权、水经济的 3 篇。发言者包括 15 位境内高层管理人士及工程技术专家，19 位境外政要及著名专家、学者。其中，部长级 3 人、流域长官 6 人、院士 1 人、国际知名专家学者 12 人、工程技术专家 12 人。

2.2　参会报告概况及技术综述

2.2.1　境内代表报告综述

境内专家、学者的发言可概括为以下三方面：

(1)基于人与自然的和谐，提出了新的治水思路和这一思路在流域治理中的实践。其内容主要包括黄河调水调沙试验、黄河水资源管理与调度、黄河洪水管理、黑河水量调度、跨流域调水工程等。分别从可行性及效果等多个方面对新的流域治理思路进行了论述。

(2)生态环境方面。研究了黄河生态系统的显著变化和水质问题，而且在分析黄河水土保持生态环境建设现状的基础上提出了黄土高原水土流失的防治途径与区域可持续发展对策。

(3)"三条黄河"建设。"三条黄河"建设是一种现代化的治河体系，主要采用了三种途径来研究黄河的自然规律，其内容包括泥沙研究、河道数字模拟技术、分布式水文模拟技术及黄河水文水资源监测体系建设和发展等重要内容。

中国水利部副部长索丽生作了题为"我国治水新思路在治黄中的探索与实践"的大会报告。他向来宾介绍了我国水利事业的新理念，即从工程水利向资源水利转变，从传统水利向现代水利、可持续发展水利转变的治水新思路。新时期治水思路的主要内涵包括：坚持人与自然的和谐共处，重视生态用水；加强水资源配置、节约和保护；加强水资源统一管理；适应市场经济要求，按经济规律办事；以水利信息化带动水利现代化。同时，结合黄河近几年的工作情况，介绍了新思路在治黄工作中的探索与实践，其内容主要包括水量统一调度、洪水管理、水污染防治、潼关高程控制与三门峡水库运行方式调整、退耕还林与水土保持、水价调整、促进节水、地下水保护等。

索部长认为，治水新思路在黄河治理中的实践是成功的。黄河的实践说明，这种转变不但加强了流域水资源的统一管理，使洪水、干旱、污染、泥沙等问题得以统筹考虑、综合治理，体现了人与自然的和谐共处，而且适应市场经济的要求，按经济规律办事，调整水价，促进了节水；同时也积累了经验，那就是要依靠科技进步，以信息化推动流域治理及水利现代化。

黄委主任李国英向大会介绍了新时期黄河治理的战略及正在实施中的"三条黄河"建设的内容。根据水利部新时期的治水思路，黄委制定了建设"三条黄河"(即"原型黄河"、"数字黄河"、"模型黄河")的现代治黄理念，近期围绕"三条黄河"建设作了一系列的具体工作。李主任在报告中论述了"三条黄河"之间的关系，并提出建设"三条黄河"的保障措施。

黄委副主任黄自强报告的题目是："黄土高原的生态环境——黄土高原水土流失及其防治对策"。他向大家介绍了黄土高原生态现状及所取得的治理成就，提出黄委治理水土流失的途径、对策、近期工作重点及相关的研究工作。

黄委副主任石春先向大会作了题为"黄河调水调沙原型试验"的报告，展示了黄委近几年的治黄成果。黄河调水调沙试验是世界水利史上迄今为止规模最大的原型试验，涉及方案制订，工程调度，水文测验、预报，河道形态以及河势监测，模型验证和工程维护等工作。试验证明，利用水库调水调沙，将不协调的水沙关系调节为相协调的水沙关系，是有利于输沙入海、减轻下游河道淤积甚至冲刷下游河道的有效途径之一。

黄委三位主任的报告引起了强烈的反响。他们把黄河全面地展示给世界，让来自世界各地的同行进一步认识了黄河，真正了解到我们开发、管理、利用黄河所做的一系列走在世界前列的工作。来宾们也为黄委所做的适应自然、改造自然、气势如虹的现代化流域管理工作所折服。

随后，黄委有关部门的领导及专家分别结合治黄实践谈了相关领域的经验体会。黄委水资源管理与调度局局长孙广生作了题为"加强黄河水资源管理与调度，保障流域经济社会可持续发展"的报告，其内容包括黄河水资源概况，黄河水资源开发利用情况，黄河流域管理体制与水资源调度现状，在黄河水资源统一管理与调度及保护中采取的主要措施、取得的成效、面临的挑战及应对措施。黄委防汛办公室主任张金良从黄河洪水与泥沙、黄河防洪形势、工程体系、防洪成就、黄河洪水管理等方面介绍了黄河的防汛管理工作，并对未来的"数字防汛"及新时期防汛前景进行了展望。黄河水利科学研究院总工程师姚文艺向大会报告了黄河泥沙及其研究进展情况，其内容包括黄河泥沙研究现状、黄河泥沙研究实体模拟及原型观测成果等，并对今后相关研究提出工作思路。黄委勘测规划设计研究院谈英武先生就中国南水北调西线工程介绍了近年来黄委所做的跨流域调水工作。会上，黄委黑河管理局局长常炳炎介绍了黑河水量调度的技术实践与成果。黄委水文局局长牛玉国介绍了黄河水文水资源测报体系建设与发展情况。黄委水资源保护局代表介绍了黄河水资源保护及水质污染控制的现代化、信息化实践。黄委上中游管理局局长周月鲁介绍了黄河水土保持生态环境建设现状与区域可持续发展对策。

知名专家、中国科学院院士刘昌明教授就黄河生态系统的变化作大会报告。他分析、评估了人类活动对黄河生态系统、社会经济及环境的主要影响，对黄河断流的原因作了概要论述，并就解决黄河的生态问题提出建议、对策。清华大学王光谦教授为大会带来了黄河下游游荡性河段的平面二维混合数学模型，为黄河下游的河道治理提供了技术参考。

2.2.2 境外代表报告综述

境外代表的发言可概括为以下四大方面：

(1)国外水管理机构及流域治理的经验介绍，包括墨累－达令河流域的水贸易及流域的管理、法国流域管理、田纳西河流域的水管理、流域管理中的冲突、亚美尼亚流域管理理念与法国水务局管理经验介绍。

(2)生态环境及水资源研究方面,包括河流情势恢复中的环境与经济问题研究、生物工程治河技术、引水工程对下游河流生态的影响、农业节水与生产力、黄河与尼罗河水量分配的比较、黄河水账计算等。

(3)国际合作方面,包括粮食与水相关的挑战计划、国际合作研究的回顾与展望等。

(4)模拟技术及量测方面,包括河流地貌的计算模拟,防洪决策支持系统、黄河下游防洪措施的模拟、黄委与美国地质调查局的合作及在悬沙采集方法上的比较分析等。

来自澳大利亚的墨累－达令河流域委员会主席丹·布莱克莫尔为大会带来了流域水贸易经验体会:墨累－达令河流域共有 24 条小流域,经过几十年的摸索,解决该流域干旱缺水的一个有效举措和成功经验就是水权转让,即水交易。其水权转让开始于 1984 年,这种交易行为最初只是在某个小流域进行,并逐渐推广到流域与流域之间。交易刚开始时完全是人们的自发行为,简单地说,就是你愿意买我愿意卖。政府的作用只是帮助建设一些基础设施,并促成农民完成这种交易行为。

对于如何推行水交易所带来的转变,丹·布莱克莫尔认为,在相当长的时间内,墨累－达令河流域水资源管理也是一种政府管理的集权化,水量分配完全是一种政府行为。农民过去也只能根据政府分配的水量种植定量的农作物,这在某种程度上限制了农业生产。实施水权转让之后,完全是一种市场行为,政府工作效率提高了,农民可以通过买水来扩大种植面积。

最重要的是,通过市场引导用水行为的改变推动了水的更好利用。市场将水资源重新配置到经济效益好的地方,促进了水资源的更高效利用。水交易允许农场更好地管理干旱时期的用水效益,使得个体对他们自己的供水负责。通过充分利用已经从河流中引出的水,避免从环境敏感地区过度引水,缓解环境的压力。水交易同时提供了一种增加河流环境流量的最小成本的方法。水交易为那些不再具有竞争力的农场提供了一种调整机制,增加了农业企业管理的灵活性。水市场还给政府水管理施加了压力,迫使他们完善管理方式。

丹·布莱克莫尔说,墨累－达令河流域的经验表明,水交易是一种资源配置行为,可以在其他国家的流域管理中应用。但水交易的引入需要采取一种合适的方式,在满足必要前提条件的情况下进行,长期看来,水交易能促进水资源的可持续利用,能产生可观的经济效益、社会效益和环境效益。在澳大利亚,水交易正在使水资源在用户之间及用户与环境之间重新配置。

丹·布莱克莫尔认为，目前人们都已认识到水是人类最宝贵的财富，为了子孙后代，政府应将水作为公共资源加以控制和管理。不论国与国之间还是一国内部，水管理首先应该考虑的是政治利益和个人利益。气候变化无常往往会加剧水资源匮乏状况，在这种情况下，政府应从水效益角度出发，公平分配水资源。因此，流域水贸易可称得上是一种维持可持续利用的关键工具。

法国罗讷河流域委员会主席皮埃尔·罗塞尔先生带着罗讷河流域的管理经验，来到黄河之滨参加这次世界河流大家庭成员难得的盛会，实现了治理河流经验的交流与共享。

皮埃尔·罗塞尔先生在介绍罗讷河流域的管理经验时讲道：人不能两次踏进同一条河流，各国要成功实施流域管理，须根据本国情况对流域管理进行适当调整。具体到罗讷河流域机构的管理特点是实行"三三制"，各方代表通过民主参与流域决策过程来协商解决产生的一些问题。流域委员会的主要作用是通过指导流域机构制定多年发展规划，建立相应的资金运作方式，以保证流域发展政策的贯彻执行。比如每年向用水户、排污单位收取的治污等费用达到 5 亿美元，最终还要返还用于流域的治理开发。按照中国的话说，就是取之于民用之于民。

罗讷河流域的水资源管理与黄河的水资源管理有很大不同。对于 1999年以来，国家授权黄委对黄河水资源统一管理、实行水量统一调度的情况，皮埃尔·罗塞尔表示，由于所处的气候带、地理环境等因素，罗讷河流域不存在水资源严重短缺的问题；同时由于罗讷河流域的管理模式决定了在实际工作中，流域机构、市政当局与公司之间还要进行友好协商，所以像黄委那样运用强有力的行政手段等来实行水资源统一管理、水量统一调度，对于法国罗讷河流域来说是件很困难的事，几乎不可能做到。

举办首届黄河国际论坛对于"让黄河走向世界，让世界了解黄河"的意义，皮埃尔·罗塞尔先生认为，黄河是世界上公认的最为复杂难治的河流，举办此次论坛必将促进世界河流的治理开发与管理工作的进程，并为各流域的交流提供一个很好的合作平台。皮埃尔·罗塞尔先生表示，河流在地理上是有国界的，但人们对于河流的治理关注却是共同的。黄河属于中国，也属于全世界。

美国田纳西河流域管理局前主席柯罗维尔先生也在大会上介绍了他们在河流管理方面的成就及经验。他认为田纳西河流域的成功管理得益于完备的法律。1933 年美国国会通过的《田纳西河流域管理法》对田纳西河流域水资源的综合开发、治理和区域经济发展起到了决定性作用。此后，随着情况的变化，该法不断得到修改与完善。按照《田纳西河流域管理法》规定，田纳西河流域管理局权限很大，河流治理、航运、防洪调度和发电调度等均由该局决策。可以说，在田纳西河流域，该局集所有权力于一身。其主席由总统提名并经过美国参议院批准，权力甚至比州长还大。

田纳西河流域管理局作为美国联邦政府的水利机构，能够正常启动并发展壮大，重要的原因在于修建防洪等公益性水利设施的同时还大力发展了电力，不仅开发水电，还建设火电、核电和利用其他能源发电。目前，田纳西河流域管理局电力的经营收入达 57 亿美元，田纳西河流域管理局年预算的 98%来源于电力的销售收入。以经营性项目的收益支撑公益性水利的发展，使田纳西河流域管理局成立至今获得了巨大的社会效益和自身经济效益，这是田纳西河流域管理局重要的成功经验。

田纳西河流域管理局的成功，更得益于不断调整的治水思路。田纳西河流域管理局成立初期，采取的是"让水远离民众"的治水思想，后来转变为"让民众远离水"，近期又发生了重大变化，即"让民众参与水"，通过发达的水运、完善的防洪系统、廉价的电力、舒适的水上休闲活动，创造众多的就业机会，使当地政府、社区、民众共享治水成果，在田纳西河及周边地区成功地营造了一个和谐的水环境。和谐的水环境、发达的水经济、独特的田纳西河流域管理局水文化，使田纳西河流域管理局在当地树立了良好的形象，这是田纳西河流域管理局这一联邦机构在田纳西地区得以存在并获得成功发展的重要因素。

他建议黄河的治理从技术的层面上讲要从规划入手，把泥沙作为主要研究方向，寻找解决泥沙问题的方法。从管理的层面讲，要加强统一管理，要进行立法制约。黄河立法要提上日程，要通过立法，给流域管理机构一定的权限，完全对水资源统一管理，流域管理要真正实现法律说了算。同时要制定合理水价，并把水价保持在合理的水准。要从治水、水的控制、能源供应、民众的需求四个方面考虑，通过流域管理、统一管理，通过协调各方面的利益，达到综合平衡运用，给民众营造一个和谐的水环境。

缺水是当今世界面临的共同问题。会上，玉井信行介绍了日本在节约用水方面的一些做法。日本从 20 世纪 60 年代到 80 年代搞水利开发以解决不断增长的水需求，但这是一个供给管理阶段，影响环境并且成本较高。第二阶段就是加强需求管理，对用水价格进行调整。许多城市对水价的管理表现在水价上不是线性的。一些用水大户就必须多付一些，水价很高。在日本，水价政策是用水越多水价越高。如在东京大学，它的用水成本占总预算的 20%，这个比例是很高的，这迫使他们不得不下工夫去研究如何节约用水以降低成本。

日本政府计划在将来通过污水处理来节约用水。在东京，每天的需水量是500万立方米，其污水处理系统覆盖着整个市区，几乎所有的污水都可以被再处理。而其中只有10%的再生水被利用，主要是用来保持河流最小的基本流量、冲刷厕所等，其余大部分被抛进大海。污水主要沿大河排放，有时也用泵打到一些缺水的小河中去，并且污水的排放是在地下，并不直接排放到天然河流中。在他看来，经过处理的污水也是水市场中的一个重要部分。

玉井信行先生还对黄河的治理提出很好的建议。他认为河床不抬高和大堤不决口是两个重要方面。如果把河床抬升这个问题解决好了，大堤不决口就好办了，将有利于确保大堤的安全问题。中国应该采取一些工程措施加固大坝，他认为目前黄委加宽加固大堤的做法是正确的。

关于断流问题，他认为事实上中国已经做了很多工作。重要的是，要综合管理水资源，上中下游用水管理要结合起来考虑。

关于河床抬升问题，他认为主要还是由泥沙和泥沙运动造成的，而泥沙运动又是由水流条件所决定的，因此中国应该实行统一的水资源管理和调度，这样做有利于解决河床抬升的问题。可以通过利用小浪底和三门峡水库来达到综合利用水资源的目的。

关于水质污染问题，他认为这个问题较为复杂，不仅仅是河流本身的问题，因为污染可能来自流域中的人类生活，并且污染情况还与人的生活方式有关，因此这方面要做的事情还是要综合管理，但更主要的是做好生活在这个流域的人的工作以防治污染。

防治水污染还要减少有机物的含量，解决富营养化问题，减少有机物主要是减少氮和磷的用量。对农民来说，应减少杀虫剂和肥料的使用，因为这些会影响下游水质。目前，日本也还没解决面源污染问题。中国虽然建了许多水库，但还没有解决富营养化的问题，在饮用水方面也存在一些问题。

玉井信行先生对中国最近在洪水管理方面的一些新的理念与举措非常认同。他认为人与自然和谐相处是非常有必要的，人们不仅要控制洪水还要更好地利用洪水，通过科学手段使其资源化。同时他认为，洪水也是大自然的组成部分，没有洪水也就没有自然状态下的河流。如果想保持河流的自然状态，就应该接受一定程度的洪水淹没。

国际著名学者、著名河流数学模型专家、美国国家水利科学与工程计算中心王书益教授一直关注"三条黄河"建设。他认为"数字黄河"工程是古老的黄河走向现代化过程中具有远见卓识的一步，运用现代的科技手段治理复杂的黄河是十分必要的。

　　王书益认为，数学模型是"数字黄河"工程的一个重要环节。数学模型的建立、完善离不开数据的验证，其中，应做好数学的理论解答与数学模型的解答二者比较、数学模型与物理模型的比较、数学模型与原型观测的比较，三者关系相辅相成、相互印证，缺少了哪个环节都难以得到适用的数学模型。

　　由于数学模型能够方便快捷地找到一个答案，所以有的在工程设计时往往过于注重数学模型而忽略了物理模型与原型测量，以致造成决策的失误。"数字黄河"工程建设却采用三者平行的方法，三种方法受到了同样的重视。

　　当前，黄委正在大力推进"三条黄河"建设的进程，为全面推进黄河治理开发与管理的现代化而努力。王书益教授提醒，在数学模型建立时，要从基础数据着手，一点一滴做起。由于黄河的事情很复杂，把希望完全寄托在通过购买国外公司的原始软件、程序上来缩小与国外的差距不很现实，况且那种没有黄河基础数据的数学模型软件、程序不一定符合黄河的实际情况，更多的事情还需要了解黄河的人自己去摸索、去解答，以进一步修改完善软件、程序，使之符合黄河的"河情"。他还建议黄委要在物理模型、原型测量等方面加倍努力，为数学模型的建立、改进奠定良好的基础。

　　荷兰德尔福特水力学研究所水资源与流域管理专家 Van Beek 教授是中国和荷兰政府科技合作项目的协调人。针对黄河流域管理存在的问题，Van Beek 教授认为，黄河流域管理在水土保持、水质管理、水环境监测等单个环节做得很好，但在总体协调、综合管理方面还比较薄弱。要全面解决黄河流域的防洪、缺水、水质变差和环境恶化等问题，必须加强水资源的一体化管理。水资源一体化管理是在 20 世纪 80 年代末、90 年代初提出的，由"可持续发展"概念演进而来。目前，在世界上很多地方已被广泛接受，其通常的出发点在于如何解决缺水问题、改善水体质量和保持生态系统。

　　他强调，实现一体化管理的一个关键因素是流域机构和行政部门之间要有贯彻水资源一体化管理的协作意愿，只有有了良好的协作意愿，才能制定适应解决流域具体问题的特定制度并可能得到积极贯彻。黄河流经九个省(区)，不同时段、不同地区的工农业用水及城市用水都有各自的特点，加强流域部门和沿黄各省(区)政府的合作显得尤为重要。比如解决缺水问题，如何充分利用有限的可能得到的水，这要求黄委与地方政府密切合作，进行水资源的统一管理。

　　一体化管理还要求尽量由统一的机构来管理同一事项，而不是像现在很多地方存在的七八个部门同时参与管理一件事的现象那样，这样的条块分割往往造成协调不够、效率不高进而出现管理不善的局面。他建议黄委加强部门之间的协调，同时，他认为这不是一朝一夕就能完成的，单靠几个人出外学习并不能从根本上扭转管理不善的局面，更不能照抄照搬国外的经验，必须在参考性意见的基础上，在具体工作中不断总结经验、教训，才能找到适合本地特点的有自己特色的管理方式。

水资源一体化管理要有科学依据。Van Beek 教授建议黄委加强水资源一体化管理综合模型系统的开发，采用现代工具提高整体性能并应用在自然资源系统—社会经济系统—行政管理和立法系统的大框架下，鼓励决策支持工具和综合模型方面的研究工作，特别是对包含多种机制的大系统的研究。

最后，Van Beek 教授还建议黄委加大力度增强公众的参与意识，从强化机构能力、建立顺畅的及时交流渠道和提供易于为公众理解的信息三方面进行努力。

2.3　对黄河流域管理工作的启发

与会代表汇报内容丰富，涵盖了当今国际治水管理与技术的各个方面。现代流域管理给我们以下几方面启发：

(1)在流域治理中重视人与自然的和谐相处，注重生态保护和修复。

(2)对于农业用水，要从单位面积粮食产量转向单位水量粮食产量的概念，以少量的水生产尽量多的粮食。

(3)法制化流域治理及一体化管理是流域治理与保护的重要保障，而市场化则是水资源开发及利用的新途径，同时还要有公众参与。

(4)要重视国际合作和先进技术在黄河治理中的应用。

(5)目前，黄河仍然存在许多未知的自然规律和重大问题，亟待人们去探索、去解决，应该让黄河的治理开发与管理分享全人类的智慧成果。

(6)在欧洲、美洲、亚洲太平洋地区，无论是法国、美国、日本还是中国或其他国家，尽管采取的措施不一样，但治河的出发点是相同的，那就是通过大家的共同努力，构建人与自然和谐相处的治水新理念。

黄河是世界公认的最复杂难治的河流，由于其独特的高含沙特点，对黄河问题的研究更具挑战性。黄河的问题在世界河流中具有代表性，不同侧面、不同角度的意见，会更有助于我们设计好治理方案。

首届黄河国际论坛达到了预期的目的，取得了圆满成功。我们相信开放的黄河会吸引更多的海内外专家更好地认识她、了解她、研究她，进而治理好她。

第3章　首届黄河国际论坛流域
水资源管理专题总结

3.1　概述

　　首届黄河国际论坛流域水资源管理专题中共有科技论文 83 篇。2003 年
10 月 23 日，该专题在两个分会场中进行，37 篇科技论文参与了交流讨论，
其中国外学者交流论文 18 篇。其主要内容包括流域水资源一体化管理经验、
水资源管理模式及模拟、与水土资源管理相关的法律及机构体制、区域水资
源承载力的计算、中国与国外防洪经验的对比分析、环境变化对水资源的影
响评价、水资源保护对策、流域水文模型、流域管理决策支持系统等方面。
为更好地服务于黄河流域资源的管理开发，现将该主题论文做如下总结，以
望为黄河的资源开发有所帮助。

3.2　流域水资源管理专题的主要内容

3.2.1　流域管理成果

　　David T Parkin 以怀卡托河流域为例分析了流域管理模式从计划经济到
市场经济的转变。怀卡托河为新西兰第四大水域，从 1941 年颁发《流域管
理与土地法》到 1991 年颁发《资源管理法》以来，流域管理为水资源的可
持续利用起到巨大的推动作用。David T Parkin 对比分析了从计划经济到市场
经济条件下该流域管理模式的转变，他认为近 10 多年来市场经济条件下推行
的"用户付费"原则将水资源管理活动费用从政府转移到管理活动的受益者，
从而推动了资源的可持续发展，但同时也暴露出一些问题，如：流域管理更多地
考虑局部利益和短期利益而并没从流域整体和更长期的利益来考虑等。

　　根据我国水资源管理的历史、现状与发展所面临的问题与机遇，运用国
内外的管理理论与成功经验，建立科学、完善、符合新时期水资源管理特点、
要求的流域管理体系是一个十分严峻而急迫的课题。在对流域水资源管理体
制做了一些探讨后，他认为，中国的水管理体制需要建立决策、执行、监督
三者分离而又功能完整的组织体系；必须加强用水户的横向联系，建立相应
的利益共同体，从中遴选代表参与流域水资源的管理；决策过程必须有用水
户和相关部门代表参加，建立决策结果公示制度和意见征询制度；需要建立

水管理体制与水资源丰枯的互动机制；强化协调与妥协机制。

黄河流域洪水、干旱和脆弱的环境几千年来严重威胁了黄河流域人民的生活。20 世纪 70 年代以来，随着经济的快速发展和人口的不断增长，河流水质变差、环境逐步恶化，进一步加剧了水资源的供需矛盾。针对黄河流域目前存在的问题，David T Parkin 提倡用水资源一体化管理(IWRM) —— 一个逐渐在世界范围为人们所接受的概念来实行黄河流域的水资源管理，以达到可持续发展的目的。在介绍 IWRM 的一般概念和世界上一些该方面的应用经验的基础上，进一步建议在黄河流域实行资源一体化管理中应注意以下几点：①关心自然环境、预防性的环境管理；②加强公众参与；③明确水权；④开发综合模型系统；⑤提高用水道德意识等。

针对黄河水资源开发利用、管理现状及存在的问题，对黄河流域地下水资源的管理方法，与会学者也进行了探讨。他们一致认为，地下水、地表水统筹规划和管理是水资源科学管理的总原则。地表水和地下水各有其特有的储存规律，进行水资源评价、制定开发规划和科学管理时，要区别对待。在地下水资源技术管理方法中，首先要进行地下水资源的勘察评价工作，然后再进行地下水资源的整体规划，并开发地下库容，进行人工调蓄，以扩大地表水和地下水的联合使用；建立地下水资源保护区和地下水危机区，开展全面的地下水监测工作，并注重地下水模型在地下水规划和管理中的应用。

法律和体制是实行流域管理的保证，Ian Hannam 通过对水土管理的法律和制度框架研究，提出了一个多目标流域管理的方法论。该方法论与流域管理相关部分的主要特征包括：①具有检查测定水土管理问题方面法律和制度的能力。这里的"能力"是指，在指定地区范围内，为实现可持续发展的水土管理、立法和制度系统法律的和实用的能力。②检查测定在特殊地域范围内涉及多个国家或地区法律的能力，测定在一个独立国家特殊司法权限内个体法律和其他立法的能力(政令、法规、规章)。③作为一个在特殊层面(国际、地区、国家)或在不同层面之间进行法律比较的工具。④识别在一个法律和制度系统内的强调、忽略、交叉或重复，并使用这个信息作为法律和制度改革建议的基础。⑤尽管该方法论的开发、应用时间和范围有限，但它还将继续用于许多法律和制度环境中，因此尽可能确保其严格要求和可靠性。在中国，对于水土管理，法律和制度系统的能力是足够的，然而，考虑到生态的长远发展，需要针对立法和制度进行改革来完善水土保持管理的效能。

通过对现行水法与 1988 年水法的比较，在水资源所有制、水资源体制和水资源管理基本制度三个方面对现行水法与 1988 年水法进行了对比分析，初步研究了流域水资源管理的发展趋势。水作为一种自然资源和一种重要的环境要素，随着可持续发展和水资源可持续利用理念的普及，水资源共有、公有、国家所有的性质将逐步被认识，水资源不仅作为当代人的一种重要资源，而且作为当代人与其子孙后代共同拥有的一种财富的观念有望被认同，珍惜水、节约水、保护水的意识将普遍提高；从工程水利向资源水利、可持续发展水利转变，以水资源的可持续利用来支持经济社会的可持续发展，成为未来我国水资源管理工作的重要指针。将资源管理与开发利用分开，资源管理的核心是权属管理，开发利用是在资源统管的基础上，由各部门按照规划进行，水资源工作中应突出水资源的配置、规划、节约和保护，成为未来水资源行政和行业管理的核心。以合理利用为核心，以流域与区域管理为单元，区域规划服从流域规划、专业规划服从综合规划，成为现代水资源管理的发展要求；水资源领域的统一管理将成为一种必然，流域管理与区域管理作为我国水资源管理中的两个层面，都将会在未来水资源的统一管理中得到进一步发展。由于水资源所有制和管理体制的变革，水资源领域权属分散的问题有望得到彻底纠正，水资源政策方面有可能趋于稳定；流域管理有望成为水资源领域的主流管理方式，流域机构将在未来水资源管理中发挥重大作用。在推进流域管理的进程中，流域管理与区域管理间仍将存在或明或暗的权利与利益的冲突。在不断的冲突、磨合中，流域管理与区域管理间将走向一种理性的合作，这种进程的长短在很大程度上取决于以法律形式对两者管理职责和权限分工的规范上。以现行水法为基本法律的流域管理的法律法规体系亟待建立；随着经济和社会的发展，生产关系适应生产力水平的不断调整，水资源所有权与使用权将进一步分离，水的所有权、使用权、行政管理权、经营权、收益权等产权概念和性质会进一步明晰，水资源产权制度、水资源核算制度和水资源价格制度将建立和完善，政府的宏观调控和市场调控的有机结合都将得到加强；运用市场机制来优化资源配置，强调权利与义务、权利与责任的明确和平衡，在公平、平等的原则下，水权(使用权)流转与水资源民主协商成为现代水利发展的主流，并将得到充足的发展。由于地区内部水权(使用权)交易，不涉及水资源所有权的问题，水权(使用权)交易有可能首先在地区内部实现；由于现行水法水资源所有制和水资源所有权由国务院行使的法律规定，跨流域的与跨地区的水资源分配中的地区障碍有望打破，水权(使用权)交易也有可能在国家层面上得到实现；行政行为合法的呼声越来越高，依法行政的需要，未来水资源立法进程明显加快。水资源领域的国际合作将进一步加强，水资源领域新的观念、新的水管理制度将会被继承和借鉴，并被我国的水法律法规和政策所采纳。

　　长江流域作为我国最大的流域，其水资源管理体制的研究非常重要。当前以流域为单元统一管理水资源已成为世界各国普遍采用的管理模式。建立适应 21 世纪的长江流域管理新体制,对实现长江流域水资源的可持续利用,促进长江流域经济社会的快速稳定发展具有极其重要的意义。在分析目前长江流域水资源管理体制和存在问题的基础上,有关专家提出了适应 21 世纪水管理需要的长江流域管理新体制,即流域统一管理更具权威性;管理的内容应涉及水资源的各个领域,较之目前的流域管理内容更为广泛;流域管理机构与行政区域间的事权划分应明确,且能有机结合;区域管理应服从流域管理,行业的专业管理应服从流域的综合管理;流域管理机构应该成为流域管理和开发治理的主体,代表国家对流域内的水资源骨干开发项目实施全过程的控制。

　　法国罗讷河是实现流域管理较早的流域,有关专家对该流域 60 年水资源治理与开发进行了评估。其评估内容包括详细介绍了法国罗讷河流域委员会和罗讷河 – 地中海 – 科西嘉岛流域管理局的历史与发展进程、权利范围和流域水资源管理经验等。文中对法国一开发公司与罗讷河流域委员会的成功合作过程和经验做了重点演示。在展示的过去 60 年来的罗讷河水资源管理与开发的评估中,详细论述了其观点与立场,并重点阐述了河流污染、环境恢复以及相关水法制定等问题,完整介绍了法国水资源综合治理体系,认为成功的关键在于以下几点:①水社区确定;②污染者缴费政策;③协调和紧密合作;④组成"水议会"。在水政策方面:投资需遵循"费用回收"原则,水法和所有法规通过地方水政策强化地方特性。

　　淮河流域是我国中东部的一条重要河流。在总结淮河流域以往建设成就的基础上,有关专家分析了流域防洪工程体系建设、水资源开发利用、流域生态环境建设等方面的治理经验及存在的问题,提出了解决问题的对策及流域未来的发展规划和主要保障措施。其对策及需要解决的主要问题包括:①加快完成规划的防洪体系建设;②解决好已有防洪体系维护管理问题;③行蓄洪区要调整、改造;④防洪标准要提高;⑤防洪和水资源问题要统筹考虑;⑥低洼地区的治理问题要解决;⑦研究湖泊水面与土地的关系;⑧超标准洪水的防御问题;⑨淮河与洪泽湖分离问题;⑩洪水风险和灾害管理等。

　　早在 20 多年前,就出现了将用于不同目的(规划、设计、实施)的不同模型相互连接组成模型系统实现水资源统一管理的概念。到目前为止,尽管人们对这一概念还有争议,但随着计算机设备的飞速发展,建立这样的具有重要意义的模型系统已成为可能。有关专家将原有的观念和目前的水资源管理方法进行对比,并且得出结论:它们的不同点并不是分析技术本身而是在系统结构中增加了"制定时间表"阶段。然而,由基因算法(GAS)、人工神经网络(ANNS)、基于规则的推理、定性的论证组成的新一代分析技术正逐渐被采用，并将改变决策过程中需要考虑的问题的范畴和复杂程度。虽然如此，在目标方针的制定和方法的采纳方面，资源开发和操作管理仍有区别。在过去，不考虑模拟模型是否适合就把它用于水资源工业的所有类型的分析是常见的。多数情况下只有开发这一系统的人才会使用它。由于没有理想的技术，这些模型一直处于试验—调试阶段。逐渐地人们才意识到不同类型的模型适用于不同的目的，进而意识到这些不同类型的模型还可以相互结合、互为补充。多年来，这种进步随着集成技术的提高仍在继续。"地理信息系统"、关系数据库和诸如此类现象的出现更使这种结合变成可能。近几年，这至少在水资源开发方面促进了人们对决策支持系统的可用性的理解。尽管不同时候使用的模型也不同，但我们已经可以用一个决策支持系统对水资源进行规划和设计。由于所有的模型都是相连的，这使手工操作的早期信息反馈变得更容易。但是，在操作管理方面，由于最初没有基因方法学，所以能达到的整合水平很有限。现在几乎没有人试图把水资源操作管理系统的不同方面整合到一个单一的综合实体中了。人们已经在起草通过为水资源操作管理开发出一个等价的决策支持系统来解决上述缺陷的总体建议。在分析技术方面，尽管计算设备有了很大改善，分析技术本身却没有令人满意的变化。而在不同程度上，这些用于试验和数学编程的技术在"制定时间表"阶段仍有广泛的应用。动力学编程方法在操作控制方面的应用也同样广泛。在复杂的水资源系统设计阶段，模拟技术也是不可或缺的。然而，传统方法的主导地位正在受到越来越受重视的人工神经网络(ANNS)和基因算法(GAS)的挑战，尤其在对计算有要求的方面。从本质上讲，人工神经网络是一个模仿人脑的巨大的并联系统(Hopfield, 1982)。它由一系列的与变量值相对应的加工元素(或称神经元)组成，并经由一个或多个隐含的层面将输入层和输出层连接起来。因此，它被认为是一个功能强大的映象函数。基因算法(GAS)是基于自然淘汰机制的一种完善算法。自然淘汰机制就是基于遗传基因的再生、循环和突变的适者生存机制(Goldberg, 1989)。这两种技术的单独使用和结合使用越来越成为解决更复杂的水资源问题的有效方法。在我们回顾这段历史中出现的另一个重要特征是，解决环保问题的方法已经被提到了社会政治生活的议程。25年前，环境保护最多是事后才被考虑到，而且不是正式决策过程的一部分。现在，环保计划已成为开发水资源系统时工程设计和经济评估中考虑的重要因素。相应地，专家们正在努力将环保更符合人意地、客观地引入模型模拟过程。为此目的，大量的环保和一些社会因素的考虑已经藉助于专家系统、基于规则的推理和定性的论证方法被应用于模型模拟过程中。

3.2.2　流域管理所需要的技术和手段研究

　　韩国每五年就会发生一次严重干旱。为更好地服务于流域管理和水资源的可持续利用，韩国建立了干旱信息系统，在社会公益事业的框架内，中央政府、地方政府和水利部门密切合作，抗旱工作进展顺利。然而，这些抗旱工作通常采取事后处理措施。由于缺乏干旱监视系统和旱情分级体系，应对措施往往面临着操作程序和管理程序方面的困难。本研究的目的是根据干旱指数的时空演进和政府过去对干旱的反应过程建立一个旱情分级体系。旱情分级体系分为四级，即报告级、观察级、警戒级和紧急级。各个级别的干旱影响程度和范围用干旱指数加以界定。同时，我们还开发了一个基于网络的干旱监视系统。抗旱规划的最重要组成部分是旱情监视系统的建立和旱情分级体系的确定。一个旱情监视系统可以通过对旱情数据进行时空分析、使用干旱指数确定旱情级别，从而激活相应旱情级别的抗旱措施，来减少干旱造成的社会和环境损失。不单单是水利专家，同时有公众广泛参与的抗旱活动可以扩大成功的抗旱政策的影响范围。所以，提供一个较易于取得旱情和抗旱措施信息的途径是非常重要的。本研究用政府抗旱政策和历史干旱指数、干旱区比率建立了旱情分级体系。另外，对应于不同级别的抗旱措施也已确定。本次研究表明，干旱指数和应采取的应对措施有时与现实情况不符。这是因为过去政府的抗旱措施没有监视系统的配合，只是在干旱发生时或发生后才启动。研究还表明，一些干旱指数与旱情分级体系不匹配。这提醒我们建立旱情分级体系时应当综合考虑多方面的因素，以免出现错误。同时，借鉴过去的经验和在当地调查研究也同等重要。为了提供足够的旱情信息，开发了基于网络的旱情监视系统。通过互联网很容易做到及时、方便地提供旱情数据，因为在韩国互联网基础设施建设得很好，网络也很可靠。利用这个系统可以进行时空分析，能够获得实时的水资源信息和各个旱情级别体系的基础资料。

　　水资源可再生性的研究将为水资源可持续利用提供如何确定控制阈值的科学依据。目前，水资源可再生性的量化工作刚刚开始，现有的一些做法都过于简单，急需从水文循环更深层次上揭示水资源量可再生性。从单元水体的水循环过程入手，基于水量平衡和水箱要领模型，提出单元水体水资源量可再生性指数 α 及其计算公式。最后，结合分布式水文模型，将所提出的量化指数 α 应用于马莲河流域。研究结果表明，水资源量可再生性指数 α 能够用于分析流域或水体水资源量可再生能力的大小及其时空分布规律。在水资源规划与管理中，只要确保指数 α 的值介于 0 与 1 之间，便可避免河流断流或洪水泛滥的发生。指数 α 为无量纲的量，可用于不同地区的比较分析。

Tonle Sap 流域可持续资源管理模拟是该流域流量情势和水质模拟项目的内容。其目的是，在 Tonle Sap 流域产生可以理解的物理、化学和生物过程，以有助于维持该水域的可持续条件。项目的主要活动包括野外测量、数学模拟、管理工具的社会经济分析及准备、通过培训建立客户容量。模拟系统包括三维水文水动力模型，可以输出洪水到达时间、历时，模拟区域不同位置的径流深及洪水的其他特征、悬沙浓度、泥沙淤积率、不同水深的溶解氧浓度和生物地质化学过程等。目前，该系统已应用于全球多个流域水资源的管理上。

水资源可持续利用量与其承载能力是流域可持续开发的关键，通过分析西北地区的水资源量、可利用量、人类生存发展及对水资源的需求，提出了西北地区最大可支撑人口数量，对西北地区的水资源承载能力进行了评价。从评价结果来看，西北地区黄河流域、河西地区和新疆的东疆地区将出现人口超载，超载的原因是水资源紧缺，尤其是在人口密度较大的区域，水资源更为紧缺，人口和经济发展对水资源的需求超过了水资源的承载能力。

流域管理是一项十分艰巨的任务，分析其前期工作是流域顺利实施的关键，Malcolm Wallace 描述了孟加拉国国家水资源管理规划的筹备过程。收集了制定计划的背景材料，按顺序分析了筹备过程的步骤、计划的结构和最终文本计划，本准备工作由目标建设管理信息系统和国家水资源数据库提供支持。为执行最近政府颁布的国家水法，该计划准备作为一个滚动的框架计划，采用高度共享的方法，并在水资源共享者之间进行广泛的公众咨询。准备了许多讨论文件作为开发政策的先导，其中也包括规划本身。通过对项目工程的子流域和区域评估，用多标准分析方法来确定该规划的合理性，确保一个理解的途径。高水平的政策目标和国家水资源管理计划(NWMP)目标与子流域和程序目标相链接，为将来规划实施建立一个监控和评估框架。该规划为国家和地区的项目制定了 84 项职责。通过责任制的手段，制定它们各自工程的框架，这些工程将与政策导向和优先发展相一致。

洪水问题是流域管理中必须考虑的问题，有关专家对国内外防洪的控制或非控制措施途径进行了对比分析。荷兰的传统防洪方法是抵御自然动力或限制由渠化和筑堤形成的河系动力。然而，延长和加固堤防就会导致河流风景的破坏、自然和文化价值的破坏。历史上，黄河在洪水管理方面存在不同的观点。传统方法主要由"非控制的控制"和"控制的控制"组成。虽然情况不完全相同，但荷兰和中国必须解决的问题相似。比较和交流看法将加强两国的洪水管理。黄河和荷兰已从与洪水共存变到提高控制河流水平上。不同的措施遵循由技术水平、经济发展和社会变化而引起的变化规律。反映"繁荣自然"的 Taoism 哲学的"允许自然过程"或"非控制的控制"与荷兰"room for the river"政策进行了比较，反映儒教哲学的其他控制河流的策略与荷兰加高河堤和防洪政策进行了比较。自从洪水不能防御问题明了以后，与河流共存的 Taoism 哲学就日益流行，不仅在荷兰而且在很多其他区域长期流行。

　　基于美国可对比流域与水沙相关的黄河流域减灾措施的比较，有关专家认为，进入黄河、里奥格兰德河和科罗拉多河的径流大部分来自高山融雪，但河道挟带的绝大部分泥沙来自中游的半干旱地区。几千年来，由于水流不足以挟带进入河道的泥沙，黄河下游一直在淤积。特别是最近几个世纪以来，流量的减少、大幅度的土地利用增加了进入河道的泥沙，使泥沙淤积增加、灾害加剧。与里奥格兰德河和科罗拉多河一样，黄河的调节减小了平均流量和洪峰流量，影响了河道的比降，河床质粗化，影响泥沙的输送。依据里奥格兰德河和科罗拉多河出现的类似问题，有关专家提出减小黄河流域水文不平衡性的几条建议，并评价了其有利的和不利的影响。指出解决黄河泥沙淤积和灾害需要三个基本考虑，最重要的，不是减少河道输送的泥沙，而是河道改道避免输送中游的泥沙。流量需要增大到足以输送进入河道的泥沙和带走长时间淤积在下游的泥沙。河道比降需要增大以提供冲刷和输送黄河泥沙的能量。可能的解决途径有增加径流，对减少径流、增加侵蚀的耕地退耕。对黄河中游改道，另设线路输送黄土高原产生的大量泥沙。

　　气候变迁对中国各区域水库可供水量有重要影响。中国的地表径流时空分布很不均衡，北部和东北地区严重缺水，其可再生水资源总量难以满足用水需求，而南部地区水资源过剩。中国历史上频发洪涝及干旱灾害。为了减轻可用水资源分布不均问题的负面作用，中国花费了大量投资建设了几千座水库、南水北调工程和其他水利工程。由于仍在进行大规模投资，研究气候变迁对全国水资源的影响是非常重要的课题。对于气候变迁，人们最关心的是气候变迁是否会加剧这种水资源时空分布不均的问题。对应于 HadCM2、CGCM1、ECHAM 模型方案，2040 年到 2069 年期间中国的温度变化是增加 3.4℃。温度增加导致蒸发和蒸腾的增加，因而减少了可用水资源。假设温度变化+2℃、-2℃、+3℃，水文模型 CHARM 分析的结果是，温度每增加 1℃水资源将减少约 2.2%。相应不同区域的变化结果是，北方约为 4%，潮湿和多山的南方约为 0.5%。由通用环流模型预测的降水量变化对中国相当有利，总体上平均降水量增加 8.5%。水文模型 CHARM 分析的结果表明，对应于降水量每增加 1%，径流量总体上平均增加 1.74%。径流量增加较大主要是因为每个时间步都乘以固定因子的缘故，因此导致雨季增加的比旱季更大。降水量每增加 1%，径流相应增加量从黄河的 2.24% 到西南的 0.8%。同样模型方案综合上述变化的混合结果显示，一些地区的径流增加，另一些地区的径流就减少。即使在同一区域，一个方案的径流可能增加，另一些方案的径流也就可能减少。然而，一般来讲，径流在北方缺水区增加，在南方多水区减少。这对中国是个好消息。然而，还有这样的一些情形，尽管一个区域的降雨量增加了，但由于降雨量在时间上分布更平均，径流反而减少。那就是旱季降雨增加而雨季降雨减少。一般来讲，这也是好事，径流减少一是因为土壤可以保持更多的水分，二是因为水在没有形成溪流前就已经蒸腾掉。内陆河区域是这种情况最严重的区域，平均径流约减少 3.4%，然而那里生活的人也非常少。总体上，预测的平均径流约增加 3.1%。然而径流增加也引出另外一些问题：极端情况出现的次数同时增加，日流量超过基准方案中 5%流量的较大日流量的次数总体上(所有区域及全部方案)增加 11%。西北地区在 ECHAM 模型方案下增加高达 43%，但在 HadCM2 模型方案下，北方各区域的总体结果反而减少。用通用方法判断干旱的次数总体上(所有区域及全部方案)增加了 4%。把中国各区域作为一个整体，现有库容的可供水量平均减少 2.3%。但最缺水的海河 – 滦河、淮河和黄河水区的可供水量增加了。南方区域需要增加库容来消除径流增加和径流不均匀性加大的影响。要保持全国的供水标准在气候变化后不变，将需要 2 800 亿元的投资来增加水库库容。实际上，洪水和旱灾次数的增加使在南方修建更多水库扩大库容的必要性比为保持现有供水标准扩大库容的必要性更大。九大区域增加库容的边际成本证明，南水北调项目更合算。南方的水资源远比北方的水资源更易获得而且更便宜。许多北方地区不可能靠修建水库扩大库容来获得更多的供水量。通过修建水库，1 立方米可供水量的边际成本范围从东北地区的 22 元(HadCM2 模型方案)增加到内陆地区的 935 元。讨论的成本只能看成是大概估计。其相对变化要比具体数据更可靠。有关中国水库的更多信息包括大小、位置、面积、与总库容相对的有效库容、工程成本、运行和维护成本将极大提高估计的精度。然而，这项研究的结果表明，气候变化可以为中国带来一些好处，也带来了一些水资源管理问题和附加投资问题。

　　湄公河流域决策支持系统作为已经开工的湄公河水资源利用项目的一部分，正由海科伍集团有限公司为湄公河委员会开发建设。该系统包括知识库、模型库和效益分析工具。湄公河下游国与国之间的水资源问题是制定湄公河流域规划的重要问题。决策支持系统将用于帮助湄公河委员会制定湄公河沿岸四国的水资源分配共享规则，并通过评价不同开发措施的环境和社会经济效果，实现对流域规划和管理的决策提供支持。为了实现 1995 年协议的目标，委员会的四个成员国已经着手流域的管理和开发。许多跨国问题需要以双方可以接收的形式仔细评估，委员会秘书处确保进行广泛的补充工作来实现这些目标。在湄公河委员会的水资源利用项目中，开发建设的决策支持系统的具体目标是为制定水资源利用规则和流域发展规划的前期工作提供一个分析机制。决策支持系统的重要功能包括生动有效的表达跨国问题、每个国家能够在相同的基础上研究和分享流域级的可选择的开发方案。因而重点放在系统的透明和统一上，以便各方在进行评估时相互信任，为如何在管理湄公河流域下游的水资源问题上取得一致意见打下牢固基础。

3.2.3　黄河问题研究

黄河是四大文明古国的发源地之一，至今一直都很繁荣。这些古文明都遭受过洪涝灾害，由于人类可以与洪水共存，洪水就无法毁灭文明。但美索不达米亚和印度北部的过度灌溉造成盐碱化却破坏了文明(Postel，S.，1999)。现在，随着人口的增长，都市化、工农业的发展以及其他陆地和水资源的压力，黄河流域和华北地区似乎正在威胁长久以来的水资源与陆地的可持续发展。气候变化加大了这些压力，可以肯定地讲，黄河流域面临着 4 000 年来最大的挑战。科学受到质疑：科学对如此复杂的问题能做些什么呢？竞争用水增加的用水需求，气候变化与经济发展增加的洪水风险及下游河道的泥沙沉积问题和其他许多问题都期待着科学性的突破。为制定正确的管理决策来解决这类问题，采用"数字黄河"的数学模型来模拟多种方案不同运作的结果是非常必要的，模拟能力也是其中重要一项。BTOPMC 是一分布式水文模型，模型的运行需要水文气象数据、地表数据、地质 GIS、泥沙数据及一些子模块。黄河问题对中国及全球都意义重大。在科学挑战方面,国际合作将在成功避免人类前所未有的危机方面发挥不可或缺的作用，国际科研机构已做好合作研究的准备。

黄河是中国的第二大河。黄河下游由于水资源缺乏，近年来频频发生的断流引起了人们的极大关注。黄河水资源问题日益重要，继黄河洪水、泥沙之后，成为举世瞩目的又一个热点问题。黄河水资源问题有其自身的特点，人们一直在探寻解决这个问题的好方法。有关专家根据长期实测资料分析介绍了黄河水资源的概况，剖析了黄河水资源开发利用中存在的问题，并对如何解决这些问题提出了如下建议：①完成黄河流域水资源开发利用的整体规划，加强生态环境建设研究；②加强统一管理机制，减少废水，促进水资源的有效有益利用；③在时空上强化措施调整，增大水资源的可利用量；④加快从长江调水的工程步伐，进行全流域调度，增加黄河流域水资源可利用总量；⑤建设主要支流淤地坝体系，强化泥沙筑坝机制；⑥建立地下水补给机制，充分利用地下水库的调蓄功能；⑦加强水污染防治和水体环境保护；

⑧强化水文气象预报；⑨加强基础科学研究和应用技术的研究。

　　黄河水环境承载能力及其合理利用，在界定水环境承载能力内涵及其影响因素的基础上，结合黄河水资源特征、水环境和排污状况，分析黄河水环境承载能力的特点，提出以水功能区管理为依据、总量控制为手段、水污染防治为根本的合理利用黄河水环境承载能力的思路，通过工程、非工程措施来提高黄河水环境承载能力，以达到保护黄河水资源、实现流域社会经济增长和水资源保护相协调的可持续发展目的。有关专家认为：水功能区管理是水环境承载能力合理利用的法律依据，入河污染物总量控制是合理利用水环境承载能力的重要手段，水污染防治是合理利用水环境承载能力的根本措施。应运用多种途径提高和合理利用黄河水环境承载能力，如完善水量调度，保证生态用水，合理调整产业结构和工业布局，优化排污口设计；加大节水力度，提高水的使用效率；利用生物－生态修复技术，提高支流水体的自净能力。

　　黄河流域水污染日趋严重，已成为流域水资源可持续利用的主要制约因素。在充分认识黄河流域水污染现状及其成因的基础上，有关专家剖析了水资源保护面临的问题，进而提出相应的对策与措施。以《中华人民共和国水法》(简称《水法》)为依据，完善黄河流域水资源保护法规体系及流域与区域管理相结合的水资源保护体制和运行机制；切实加强流域水污染防治工作；各地方政府应根据黄河水环境承纳能力，以功能区水质保护为环境约束条件，优化流域产业结构与工业布局；实现污染源稳定达标和入河总量控制，"以水定供"，实现经济社会可持续发展；加快城市污水处理厂建设，强化面源控制和内源治理；强化流域水资源保护监督管理工作，流域管理机构根据黄河水资源承载能力，制定不同时空条件下的黄河允许入河污染物总量控制方案和实施计划；强化取水许可和实施排污口登记制度，依法管理和规范入河排污口设置，确保城市生活饮用水水质安全；加强入河排污口监管和河流省际断面水质监测，保障重要河段的生态及环境用水；加强流域水生态保护，建设水资源和生态保护的示范及推广工程；建立水资源保护的市场调控机制；发挥公众参与及社会监督作用，动员新闻媒介以及社会广大公众参与黄河水资源保护活动。

　　黄河水资源管理情况复杂，问题突出，涉及沿黄多个省(区)和社会、政治、经济等多个方面。有关专家提出的水量调度决策支持系统充分考虑了实际应用的要求，具备水资源调度管理所需的各项功能，具有方便、直观、快捷的特点，并已成功应用于多个科研和生产项目，特别是实际应用于黄河水量调度工作，产生了广泛的社会效益、经济效益和生态效益。虽然该调度系统已在水量调度工作中起到了一定的决策支持作用，但因其仅仅是一系统雏形，因而仍有很多需要改进的地方。随着调度经验的积累、调度决策支持系统的全面启动和实施，须不断对其进行丰富和完善，使之逐步成为能够适应黄河实际的性能稳定、方法合理、手段先进、决策迅速的水资源管理系统，在全河水量调度工作中发挥积极作用。无论如何，该系统的出现，表明了计算机决策支持的黄河水资源现代化管理的开始，对今后全河的水资源调度工作必然会起到推动和促进作用。黄河流域水资源贫乏、水供求关系日趋紧张、下游断流日益加重的现实矛盾，要求必须实行流域水资源的统一管理。

根据复杂系统研究领域的最新理论进展，在流域水资源管理领域引入了复杂适应系统的理论与建模方法，建立了黄河流域的水文－经济－环境－制度整体模型，对流域水资源模型中的宏观规律与微观规律之间的联系、系统复杂性的形成机理和系统的演化规律进行了新的阐释和定量计算分析；结合南水北调西线工程对黄河流域水资源配置的影响问题，对未来 20 年黄河流域的水资源配置问题进行了初步的分析和讨论。

NAM 模型是丹麦技术大学开发的 MIKE11 中的降水径流模型，MWBM是黄河水利科学研究院开发的月水量平衡模型。对比分析 NAM 模型和MWBM 在黄河上游的应用，结果表明，尽管 MWBM 结构简单、参数较少，但具有与 NAM 同样好的月径流模拟预报效果。

"数字工程管理"是"数字黄河"工程的主要应用系统之一，主要由信息采集与传输、业务应用等部分组成。业务应用分工程建设管理、运行管理、安全监测、安全评估、维护管理等 5 个系统。系统建成后，可实时掌握和了解工程运行状态，评估工程安全状况，自动生成工程维护方案，并在可视化的条件下为工程管理提供决策支持，增强决策的科学性和预见性。

黄河流域生态环境脆弱，进行水土保持是恢复生态的主要途径，而建立黄河流域水土保持地理信息系统是基础工作。有关专家介绍了流域水土保持信息分类、编码和遥感信息的采集及图像处理方法，以黄河中游重点水土流失区的秃尾河流域为典型研究对象，重点介绍了如何利用遥感(RS)和地理信息系统(GIS)相结合，实现水土保持信息数字化管理的技术思路和开发的流域水土保持地理信息系统的特点、功能，即依靠 RS 获得的信息数据，在二次开发 GIS 软件的基础上建立起快速查询、信息丰富、方便实用的流域水土保持 GIS，以便为建立黄河全流域水土保持地理信息系统积累经验，为黄河流域水土流失治理决策提供科学依据；有关专家认为：水土保持现代化必须依靠高科技，利用多平台、多时相的航天和航空遥感信息，把 RS 和 GIS 技术相结合，掌握黄河流域水土保持现状，及时获取和更新相关数据，实现黄河流域水土保持生态环境的动态监测，可以为各级水土保持部门提供全数字化的地理信息数据，最大限度地实现信息资源的共享；借助于 GIS 的空间分析和可视化，来表达研究区域的空间发展变化，并预测预报水土流失与生态环境的变化，可为黄河流域水土保持与生态建设决策提供有力的技术支持和科学依据。

基于现代信息技术的黄河流域年降水反演研究：降水是流域水循环系统的基本输入，传统水文方法中面上降水都是通过点雨量扩展来获取的，因此对雨量站点的密度有较高的要求。黄委通过引入国际先进遥感技术，根据不同云层和点雨量间的回归关系，建立面雨量计算模型，并以 GMS 影像为信息源，对 2000 年黄河流域雨量进行遥感反演。从各二级流域校验结果来看，本次反演精度整体达到 90%。从中可以看出，遥感技术为无资料地区的面雨量资料的获取提供了便利途径。

黄河水资源保护的数字化：社会的发展和信息化程度的逐步提高使数字化成为一种必然趋势，计算机及网络相关设备性能的不断提高和对信息共享及对大量信息分析综合的需要使数字化很有必要，网络技术、多媒体技术、地理信息技术、遥感遥测技术、全球定位技术的飞速发展使数字化成为可能。为了适应新形势的发展和治理黄河的要求，黄委提出了建设"三条黄河"的现代治黄理念。黄河水资源保护数字化是"数字黄河"的一个重要组成部分。黄河水资源保护数字化的目的是较好地完成《水法》、《中华人民共和国水污染防治法》(简称《水污染防治法》)等各项法律赋予黄河水资源保护的各项职能，为监督管理服务，为解决水资源保护的关键技术问题服务。

黄河治理中的水土保持科学研究：黄河是一条世界著名的多沙河流，黄土高原的水土流失造成黄河下游河床不断淤积抬高，形成"悬河"。因此，黄土高原的水土保持与综合治理是减少入黄泥沙的根本措施。20 世纪 40 年代以来，从黄河治理角度开展了大量的水土保持科研工作，并取得了众多科研成果，其主要成果包括黄河中游产流产沙规律研究、淤地坝坝系相对稳定研究、黄河水沙变化研究、水土保持效益及其计算方法研究、遥感技术与地理信息系统在水土保持中的应用研究等，为黄土高原治理提供了重要的科技支撑。

结合黄河中游小流域综合治理的实际和黄土高原水土保持世界银行贷款项目的部分监测数据，黄委探讨了水土保持生态环境建设的生态效益。结果表明，由于水土保持生态工程建设和各项措施的实施，不仅提高了当地的林草植被覆盖度，控制了水土流失，而且改善了土壤的理化性质，提高了土壤肥力，同时改善了局地气候，减少了自然灾害，促进了生物多样性的恢复和保护。

黄河水资源配置模式的发展经历了自由利用、分散管理和政府宏观调控、实施流域管理两个阶段，正进入一个变革期。传统的、与计划经济时代相对应的黄河水资源指令性配置模式，已经不适应社会主义市场经济条件下流域经济社会发展的需要。新型的模式应当实现政府宏观调控、民主协商、水市场调节三者有机结合，并充分发挥流域机构作用。政府应当加强对基本用水需求管理的控制，完善对更高层次的多元化用水配置的政策环境和调控手段，依法治河，推动流域水资源的优化配置。市场应当完善水价体系，实现多元化的水交易并鼓励适度竞争，借助市场交换实现流域水资源的二次分配。企业应政企分开，企网分离，水务经营一体化，扶持买方竞争集团，以促进买卖双方均衡、良性竞争。流域机构应当代表国家行使流域统一管理职能，构建信息发布、民主协商和水市场交易的基础平台。

黄河水资源开发利用投资及对流域经济发展的影响：黄河流域覆盖 3 个自然区，这 3 个区域以经济活动联系起来形成了复杂而开放的宏观体系。黄河流域水资源开发利用是经济发展的基础，然而该区域水资源紧缺，人均水资源量仅为全国平均水平的 1/4，要使 2010 年流域 GDP 达到 12 100 亿元，水资源缺口将为 40 亿 ~ 100 亿 m^3。因此，要客观认识水开发利用与区域经济发展的关系，做到持续的水利用支持持续的经济发展；基于水资源投资对经济发展的影响，有关单位用灰关联方法分析了投资与回报的定量关系，认为加强水资源的有效投资可促进流域经济的可持续发展。

从"数字黄河"工程的主要内容及流域规划工作的方法及内容入手，有关单位提出了"数字黄河"工程在流域规划中的应用设想，论述了"数字黄河"工程在流域规划工作中的重要作用。"数字黄河"工程在流域治理开发中的作用是巨大的，建设需要一个长期的过程。作为规划部门，我们将积极参与"数字黄河"工程的建设，在工作中树立"数字黄河"的理念。在建设中要坚持统一领导、统一规划、统一标准、分步实施的原则，同时要以我为主，博采众长。随着"数字黄河"建设的深入，解决黄河水问题的手段和方法将更为科学。

从极端的自然环境条件、已建和在建大型工程、依赖于水资源的重大潜在灾害和易受攻击的特性考虑，黄河是世界上最复杂的河流之一。有效的流域管理需要最好、最适合的技术，以更好地反映特定空间和时间条件下物质现象的综合表现。不同类型的物理过程分析在空间上和时间上需要大量的各异的分析方法、数学模型，以充分估计过去行为、目前条件和将来发展的影响。所有这些是：流域内分布式水文、土壤侵蚀和陆地输移模型；模拟土地资源退化对河流系统影响，水土保持措施影响流域水资源模型，降雨、蒸发势和初步的动力输入要求；水配给的输出基于给定的用户标准范围具有洪水预报和一维形态组成的水文－水动力模型；在下游进行洪水预报、水库淤积和滞洪区洪水控制运用，进行总体规划设计两维形态学模型；水库淤积，水沙释放程序安排整个下游的两维空间形态学模型；分析水库运用策略影响。对治河工程规划，黄委积累了丰富的治理经验，而且在物理模型和数学模型的基础上，着力开展了流域特性和河流系统的全面研究，包括独特的高含沙水流现象、规划和治河工程影响。但是，扩展数学模型分析有一个范围，首先是全面分析、流域特性综合分析、未来自然和人类开发行为分析，其次是物质基础、更精确的分析、水库淤积的预测和对下游的评价。通过黄委与国际水力学会的合作，使模型开发和应用能够利用河流形态特性，黄委的认识和国际水力学会在数学模型开发与大范围的实践应用中具有广泛的经验。

3.3　认识与体会

3.3.1　流域水资源管理模式

在流域水资源的管理方面要注意两个方面：

(1)在技术层次上，转变或完善现有的流域水资源基本管理模式，以流域为单元，实行水资源的统筹规划，通过关心自然环境、预防性的环境管理、加强公众参与、明确水权、开发综合模型系统、提高用水道德意识等工作，实行水资源的一体化管理，并使水资源管理规划作为一个滚动的框架计划，在水资源共享者之间进行广泛的公众咨询；使工程水利向资源水利、可持续发展水利转变，以水资源的可持续利用来支持经济社会的可持续发展，使流域机构能在未来水资源管理中发挥更大作用。

(2)在流域水资源管理体制层面上，加快水资源立法进程，建立决策、执行、监督三者分离而又功能完整的组织体系。加强用水户的横向联系，建立相应的利益共同体，从中遴选代表参与流域水资源的管理。决策过程必须有用水户和相关部门代表参加，建立决策结果公示制度和意见征询制度。建立水管理体制与水资源丰枯的互动机制，强化协调与妥协机制，实现流域管理模式由计划经济向市场经济的转变。

另外，流域管理机构与行政区域间的事权划分要明确，且能有机结合。区域管理应服从流域管理，行业的专业管理应服从流域的综合管理。流域管理机构应该成为流域管理和开发治理的主体，代表国家对流域内的水资源骨干开发项目实施全过程的控制。

3.3.2　水资源规划与保护

在水资源规划与保护中，要充分理解流域的物理、化学和生物过程，注意水资源的可再生性。水资源开发利用应进行地下水、地表水统筹规划和管理，区别对待；扩大地表水和地下水的联合使用；建立地下水资源保护区和地下水危机区；开展全面的地下水监测工作，并注重地下水模型在地下水规划和管理中的应用。区域人口和经济发展要考虑地区的水资源承载能力。为促进区域经济发展，要根据区域水资源特征、水环境和排污状况，分析水环境承载能力，并通过工程、非工程措施来提高水环境承载能力，以达到保护水资源、实现流域社会经济增长和水资源保护相协调的可持续发展目的。要运用多种途径提高和合理利用黄河水环境承载能力，如完善水量调度、保证生态用水、合理调整产业结构和工业布局、优化排污口设计，加大节水力度、提高水的使用效率，利用生物－生态修复技术提高支流水体的自净能力等。

3.3.3 合作研究

随着人口的增长，都市化、工农业的发展和全球化的气候变化，黄河流域和华北地区的水资源压力正在逐渐增大，气候变化与经济发展增加的资源及洪水风险和其他许多问题都期待着科学性的解决和突破。为制定正确的管理决策来解决这类问题，建立黄河数字化工程管理系统以供主管单位决策就非常必要。目前国内外已开发了不少用于流域数字管理的数学模型，如BTOPMC、NAM 模型、MWBM 模型、基于复杂适应系统理论的黄河流域水文－经济－环境－制度整体模型等，它们可模拟不同条件下的流域水资源变化情势。但这些数学模型的进一步开发应用都离不开 GIS、RS 等信息的支持。因此，在加强本地数学模型研究的同时，也应加强国际合作和"3S"等技术的应用，以更好地为流域水资源管理服务。鉴于黄河流域的特殊性和重要性，在科学挑战方面，国际合作将在成功避免人类前所未有的危机方面发挥不可或缺的作用，目前一些国内和国际科研机构已做好合作研究的准备。

3.3.4 建议和对策

3.3.4.1 建议

对于黄河水资源的持续利用提出以下建议：

(1)完成黄河流域水资源开发利用的整体规划，加强生态环境建设研究。

(2)加强统一管理机制，减少废水，促进水资源的有效有益利用。

(3)在时空上强化措施调整，增大水资源的可利用量。

(4)加快从长江调水的工程步伐，进行全流域调度，增加黄河流域水资源可利用总量。

(5)建设主要支流淤地坝体系，强化泥沙筑坝机制。

(6)建立地下水补给机制，充分利用地下水库的调蓄功能。

(7)加强水污染防治和水体环境保护。

(8)强化水文气象预报。

(9)加强基础科学研究和应用技术的研究。黄河流域日趋严重的水污染已成为流域水资源可持续利用的主要制约因素。针对这一现实，应进一步加强水污染防治技术的研究工作。

3.3.4.2　对策

水资源保护方面应做好以下几点：

(1)以《水法》为依据，完善黄河流域水资源保护法规体系及流域和区域管理相结合的水资源保护体制与运行机制。

(2)切实加强流域水污染防治工作。各地方政府应根据黄河水环境承载能力，以功能区水质保护为环境约束条件，优化流域产业结构与工业布局；实现污染源稳定达标和入河总量控制，以水定供，实现经济社会可持续发展；加快城市污水处理厂建设，强化面源控制和内源治理。

(3)强化流域水资源保护监督管理工作。流域管理机构根据黄河水资源承载能力，制订不同时空条件下的黄河允许入河污染物总量控制方案和实施计划；强化取水许可和实施排污口登记制度，依法管理和规范入河排污口设置，确保城市生活饮用水的水质安全；加强入河排污口监管和河流省际断面水质监测。

(4)保障重要河段的生态及环境用水。

(5)加强流域水生态保护，建设水资源和生态保护的示范及推广工程。

(6)建立水资源保护的市场调控机制。

(7)扩大公众参与及社会监督范围，动员新闻媒介以及社会广大公众参与黄河水资源保护活动。

第4章　首届黄河国际论坛数学模型及 IT 技术专题研讨会小结

4.1　概况

参加"数学模型及 IT 技术专题研讨会"的主要有芬兰 NOVO 公司、丹麦 DHI、英国 Halcrow 公司和 Wallingford 水力学所、荷兰 Delft 水力学所、美国密西西比大学 NCCHE 等国际上知名的模型研发机构。与会人员主要进行了启示性介绍和简短讨论。为全面理解各家模型特点及其精髓，会后，黄委数学模型攻关组成员与荷兰 Delft 水力学所、美国密西西比大学 NCCHE 和英国 Halcrow 公司的研发人员作了进一步的交流。据此，将会议期间交流情况总结如下。

4.2　模型特点

4.2.1　芬兰 NOVO 公司

NOVO 是芬兰第二大 IT 服务公司，30 多年来，在信息技术方面积累了丰富的实践经验，一直致力于将先进的互联网、移动通信及地理信息系统等领域的尖端技术应用到每一个解决方案中。1999 年，该公司同中国测绘科学研究院共同成立了中国诺瓦信息技术公司，致力于"3S"技术在中国的研发和应用，并为在中国运营的跨国公司提供了一系列系统解决方案。

参加本次国际论坛会议的 NOVO 公司代表，重点介绍了其洪水管理的完整 IT 解决方案——集成洪水应急响应系统，即 IFERS 系统。IFERS 系统是一个洪水控制的决策支持和应急响应系统，可以作为江河防汛指挥系统的有机组成部分，其内容包括综合 GIS 数据库、数学模型系统和 5 个集成应用模块，可与防汛指挥系统的所有模块和子系统进行数据通信。在数字流域系统概念中，集成洪水应急响应系统(IFERS)就是其中一个应用程序包。见图 4-1。

在 IFERS 系统中引用了信息发布系统中所谓的"三重"结构(用户界面、信息服务器和数据管理系统)。系统结构中,空间数据处理软件完全基于 ESRI 的 GIS 软件。项目研究运用空间信息技术、计算机网络技术和现代通信等高新技术，解决防洪救灾中的重大技术难题。

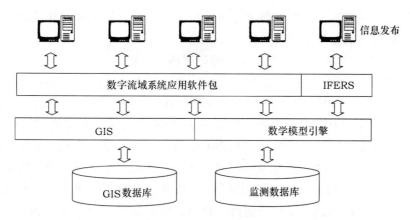

图 4-1　IFERS 在数字流域系统结构中的示意图

　　IFERS 系统的洪水预报模块(The flood forecasting module)的功能与黄河数学模型开发的第一阶段目标基本一致，其设计思想和基本理念值得借鉴。洪水预报的挑战性就是它的精度、可靠性以及预报期。预报期时间越长，对洪水影响分析的时间就可以更长，为防洪措施进行准备的时间也更长。IFERS洪水预报模块的关键部分就是经过校验的数学水动力模型(HD 模型)，用于计算和预报河道系统中的水情。有几种不同的方法进行 HD 模型的数据输入，比如通过提供模型的边界值。提供四种基本的选择来组织输入 HD 模型中的边界值，不同的选择影响预报模型、预报期和精度。但是，所提供的四种方法并不是所有的方法，还有一些其他方法或混合方法。IFERS 的洪水预报模块以在线模式持续不断地执行 HD 模型计算。模型从监测数据中得到边界值，在期望的频率下进行模型的更新计算。在线模式的目的就是为决策者提供更好的流域的全面情况，而不仅仅是测站的信息。当这种模式运行时，河流系统的状态将会虚拟地显示在图形用户界面上。决策者可以选择在模型区域内事先定义的一点上展示水文过程线(比如水位或流量)。这样，决策者就可以更好地理解现在的情况和可能的重要发展。此外，在线模式的另一个目的是无须等待模型根据历史数据进行初使化就可以为预报和情景分析作准备。

　　据了解，2002 年长江委将 NOVO 公司的 IFERS 系统引入长江防汛指挥系统，建立"长江防洪智能应急响应系统"。2002 年 9 月，该项目第一阶段成果通过验收。验收专家认为，IFERS 系统利用模块化系统，利用 GIS 提供关于地图、卫星遥感影像、土地分类、海拔数据等空间地理信息数据，通过模块化的数字式洪水模拟子系统、现场防洪模拟子系统、洪水监控及决策子系统，对洪灾造成的破坏进行评估，对洪水状态进行预测，对所要形成的破坏进行评估及预警，并最终提供专家决策，对建立和完善现代化的防汛指挥系统具有重要的指导意义。

4.2.2　丹麦水力学所 DHI 的 MIKE 模型系统

MIKE 模型系统主要包括 MOUSE(城市给排水管网)、MIKE1(一维模型，包括 MIKE11、MIKE12 和 MIKE11 FF)、MIKE2(二维模型，包括 MIKE21 和 MIKE21C)、MIKE3(三维模型)、MIKE BASIN(流域水资源规划与管理)、MIKE SHE(水循环系统模拟)和 LITPACK(海岸带动力演变模拟)。模型系统基于 Arc View/GIS 界面，实现水文基础信息、地理数据、遥感影像等数据的自动收集和传输，可以自动生成和编辑数字高程模型 DEM，可以控制和检查输入数据质量。各模型可以独立运行，具有在线帮助和用户引导功能。

其中 MIKE1、MIKE2、MIKE3 模型均可以模拟水流、水质、泥沙，其基本构件包括水流构件(Hydrodynamics)、对流扩散构件(Advection Dispersion)、水质构件(Water Quality)、泥沙构件(Sediment Transport)；附加构件包括降雨 – 径流模块、拟恒定模块、溃坝模块、湿地模块、重金属模块、富营养化模块、数据自动检测模块(Automatic Manning Number Calibration)等。MIKE2、MIKE3 模型又增加了潮汐、涌波和热传输过程模拟。模型可以进行不同传质输运模拟、降雨径流预测、洪水实时预报预警，可以用于河道、水库、河口、海岸、管道等。MIKE21 模型构件见图 4-2。

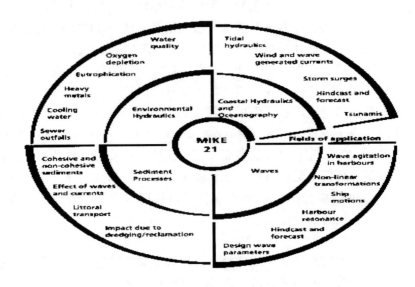

图 4-2　MIKE21 模型构件图

其泥沙输运模块可以进行泥沙输移(Sand Transport)、泥流输移(Mud Transport)

和微粒输移(Particle Transport)模拟。见图 4-3a。利用 MIKE21C(Curvilinear Modeling of River Morphology)可以进行河床横向形态变化模拟,图 4-3b 表示河床形态变化模拟结果。

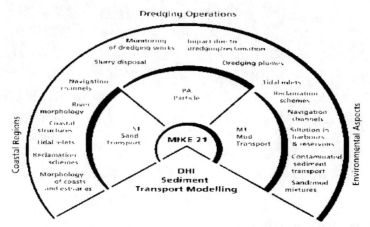

图 4-3a　MIKE21 模型的泥沙输移构件

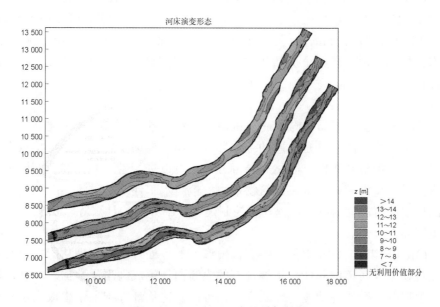

图 4-3b　河床形态变化模拟结果

　　为实现同一模型中区域大网格和局部子网格的结合,开发了网格嵌套水动力学模块(Nested Grid Hydrodynamic Module,简称 NGHM),以建立不同边界条件的反馈机制。见图 4-4。

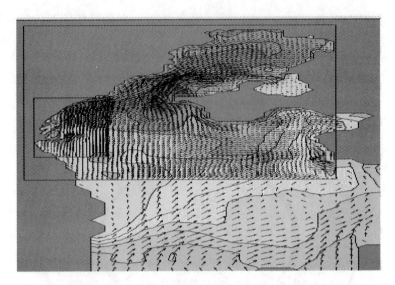

图 4-4　MIKE21 NGHM 模型网格嵌套示意图

4.2.3　英国 Halcrow 公司

Halcrow 公司介绍的软件主要包括 ISIS 软件包和 MDSF 系统。

4.2.3.1　ISIS 软件包

ISIS 软件包由 Halcrow 公司和 Wallingford 公司共同开发，ISIS 能提供给技术人员和管理人员一个灵活的内容多样的工程设计及流域管理工具。ISIS 软件包主要包括 Flow、GIS、Hydrology、Routing、Quality 和 Sediment 六大构件。

(1)Flow 构件。Flow 构件是 Halcrow 集团公司借助 GIS 技术建立的一维水动力学模型。该软件是英国的工业标准程序，界面友好。其主要特点有：所有的水力模拟基于四点隐格式差分方法，可以进行管道回路和河网模拟、洪水演进及淹没模拟、水工建筑物水力模拟、水工建筑物过流实时调度，强大的稳定求解能力，包括跨越复杂控制建筑物临界流的计算等。ISIS Flow 界面见图 4-5。

(2)GIS 构件。GIS 构件主要进行模型前、后处理。前处理功能主要有：可以自动生成河道横断面，扩展现有的横断面，生成溢出量数据、自动提取水库数据等。后处理功能主要表现在：可以快速从计算结果中生成洪水淹没范围、深度及流速自动绘图并显示，进行经济损失计算，各种计算结果数据快速可视化，展示在线监测模型运行情况，通过 GIS 直接把计算数据传送给灾害评估模块(Damage Calculator)等。另外，Delta Mapper 模块可用于快速制作洪水淹没图，而不依赖于其他 GIS 软件。GIS 界面见图 4-6。

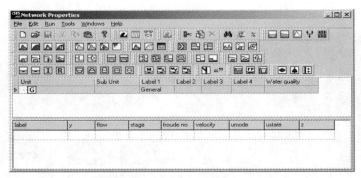

图 4-5　ISIS Flow 界面图

图 4-6　ISIS GIS 界面图

(3)Hydrology 和 Routing 构件。Hydrology 包含了多种可以为 Flow 和 Routing 等提供进口条件的可供选择的流域水文模型，其模型主要包括 FEH 方法、PMF 方法、FSR 方法、USSCS 方法及自行指定方法等。

(4)Quality 构件。Quality 可以较全面地模拟水体水质情况。其内容包括污染物对流扩散、水温、泥沙吸附、浮游植物和 pH 值等。该模块可以同水力模拟相结合进行水质变化过程的详细模拟，也可以和 Routing 模块结合进行粗略的应用研究。该构件也可以用于城市污染控制管理模拟。

(5)Sediment 构件。主要用于冲积河道形态、河道及大型灌溉渠道泥沙问题研究等。可以预测泥沙输移率、渠道底坡高程变化和渠系泥沙冲淤等。该模块包含了一系列预测泥沙输移方程，如恩格隆－汉森、阿科斯－怀特等推移质输沙方程、长短时段泥沙输移仿真、渠道泥沙疏浚程序、泥沙淤积部位、黏性泥沙输移等。

4.2.3.2　MDSF(Modeling 和 Decision Support Framework)系统

MDSF(防洪模拟与决策支持平台)是受英国多个政府机构委托和支持由合乐集团公司主持开发的一个以 GIS 为平台的决策支持框架(Decision

Support Framework)(见图 4-7)。

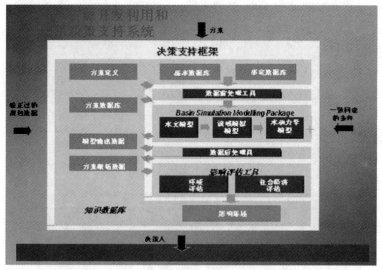

图 4-7　MDSF 结构示意图

　　MDSF 最初是用来帮助制定流域洪水管理规划，引导使用者分析流域洪水发生过程，确定洪水淹没范围和风险区，评估洪灾危害、社会、经济和环境损失等。它与地理信息系统(GIS)链接时，能够显示和分析流域特征、人口统计信息、洪水分布图、环境标示及城市区域等空间信息，实现洪水治理与流域变化的相互对比，有助于针对特定流域制定防洪政策。MDSF 也可用做实时洪水管理决策支持的平台，提供多种洪水管理方案的模拟、比较，供决策参考。当用于防洪管理决策支持时，MDSF 可用 Halcrow 公司开发的 ISIS 水文、水动力学模型以及多种灾害评估软件，也可用其他用户满意的软件。MDSF 近来又被用于流域水资源开发和管理的决策支持系统。它便于使用者对流域内水资源开发项目的各种方案进行社会、经济和环境等多方面的比较和优选，也可用于流域水资源利用配置的管理和优化。为此，MDSF 可用 Halcrow 公司开发的 ISIS 水文、水动力学、水质模型、水资源模型 WRSS 以及多种影响评估软件，也可用其他国家开发的软件。

4.2.3.3　应用情况

　　1998 年英国决定为全英格兰和威尔士的所有流域制定流域洪水管理规划(CFMP)。为此，英国环保署(EA)和环境食品乡村部(DEFRA)等国家部门委托 Halcrow 集团公司制定了用于 CFMP 的指南手册，并开发了相应的模拟与决策支持框架(MDSF)。这一系统已经被 Halcrow 公司和其他咨询公司用于英国许多大小流域的洪水管理规划和决策支持系统的建设。MDSF 近期已用于其他流域，最典型的项目之一是正在进行的涉及越南、泰国、柬埔寨和老挝等 4 国的湄公河流域水资源开发与利用的决策支持系统。此项目为湄公河下游 4 个国家在水资源规划和利用上协调一致而开发的一个决策支持框架。这个独特的模拟、知识数据库以及影响评估工具相结合的系统为解决跨边界的纠纷提供了一个平台。任何一个国家进行水资源开发或利用方案的变化都先用此决策支持系统进行方案评估，再提交给其他国家和湄公河流域委员会审查，只有大家都达成一致意见，方案才能实施。该 MDSF 的模型部分采用了美国的水文模型 SWAT、澳大利亚的水资源量化和优化模型 IQQM、Halcrow 公司开发的水动力学模型 Flow、水质模型 Quality 和泥沙模型 Sediment 等。

4.2.4　英国 Wallingford 公司

Wallingford 软件公司是 HR Wallingford 集团公司的软件产品和系统开发商，于 1947 年成立。成立之初为英国科工部的政府水力研究机构。HR Wallingford 于 1982 年从环境部私有化，于 1987 年成立了 Wallingford 软件有限公司，致力于为水工业开发世界领先的软件工具，产品包括了数据管理和网络模拟软件，涵盖了市政给排水、污水系统、河流治理以及海岸工程方面的规划、设计和实时调度等各个方面。

Wallingford 的标志性产品是其开发的 InfoWorks 系统，它是一个包揽市政供水、雨污水、流域管理和河网系统等不同专业领域的一体化的软件解决方案。InfoWorks 由三个模块组成，即 InfoWorks CS、InfoWorks WS 和 InfoWorks RS，分别是雨污集水系统、供水系统及河流系统。结合当前黄河数学模型研发工作，课题组重点了解了其 InfoWorks RS 模块(河流系统)的基本情况。

作为一个集成的河流网络模型系统，InfoWorks RS 可以模拟流域降雨径流、产汇流、河网水量水质及泥沙。应用于水资源优化调度，防洪管理、规划，实时调度和决策分析，水污染防治与评价，河网整治，冲淤分析等方面。

InfoWorks RS 中所集成的 FloodWorks 子系统是一个为河流、泛洪区、潮汐及水资源调度提供实时预报模拟的通用的、模块化的决策支持系统。FloodWorks 系统功能强大、内容广泛，涵盖了成熟的水文学和具有实时决策支持与控制功能的水力模型。在单一环境中集数据收集、有效的模型库及数据库管理方式、高级水文学和水力仿真引擎、地理分析和关系数据库于一身。将实时遥测的水文和气象数据源同详细而精确的模型相链接。同时，它允许管理员和工程师进行快速准确的仿真模拟，用以测试在紧急情况下各种调度方案的效果，通过灾情分析评价各方案，从而寻求最佳方案。FloodWorks 现在已设计为一个综合多个模型实时预报的标准平台。新的模型运算法不断被加入，目前正在设计实时河流水质和海岸洪水预测系统。其界面的开发包括了利用网络服务器，将预报或预警信息通过互联网发布等。FloodWorks 系统的结构示意图见图 4-8。

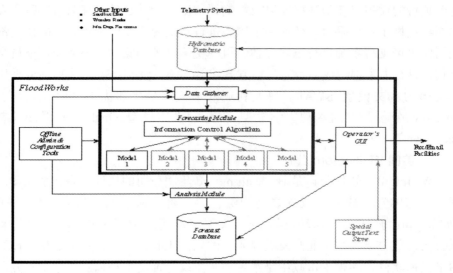

图 4-8　FloodWorks 结构示意图

从图 4-8 可以看出，FloodWorks 主要由数据收集模块、预报模块、预报分析模块、模型运算模块和 GUI 模块等五部分组成。

(1)数据收集模块。从各种数据源中收集数据，并且把数据转换成适用于 FloodWorks 预报模型的形式。数据源包括：遥测网络、水文数据库、气象雷达、卫星图像和气象预测等。每次数据收集模块的运行都会创建一个输入数据的瞬态图。为达到测试和培训的目的，当仿真实时操作时，数据收集模块也可以被切换到收集历史事件数据。

(2)预报模块。利用诸多模型组成的网络计算并预测流域内特定预测点的流量、水位和其他变量。把许多类型(包括水文和水动力)的模型集成到一个综合的模型网络中。每个模型的输出结果与观察数据结合，以更新模型的预报，并且作为输入值提供给其下游的模型。对整个区域使用单一集成模型网络，可仅仅对选择的区域提供预报，比如对流域上游入流的预测仅使用快速的水文学模型。是专为实时运行而设计的，尤其是对快速、合理地处理缺测或无效的数据操作，校核并交叉检查输入数据，利用专门的数据模型填充丢失或无效的数据。

应该指出的是，预报模块特有的状态更正和误差校正功能将观察的数据同相应的模型输出做比较，并且利用该信息去更新和提高模型预报，也使得模型的可靠性得到提高。

(3)预报分析模块。产生 FloodWorks 模型网络中预报点的流量、水位和其他数据的时间序列。根据不同预测点和总体报警标准自动概括与阐述这些时间序列，能够从预测河道水位中计算出淹没区范围从预测值中产生一组包含地理属性的数据报表。

(4)模型运算模块。该模块包括雪融模型、降雨径流模型、汇流模型和水动力模型。FloodWorks 内嵌了 Halcrow 公司的 ISIS 河道水动力模拟程序，以满足水动力模拟的需要。ISIS 可以是一个独立程序，用于离线方式下建模、验证和仿真；还可以是 FloodWorks 中内嵌的模型预算法则，用于实时模拟和预报调度。

(5)GUI 模块。该模块提供了功能强大的用来显示和报告预测结果的操作界面。为适应国际市场，该产品设计使用了 UniCode，它可以将操作界面用多种语言显示。除此之外，还提供了以下功能：①能方便地启动新的预报模拟或重新进行运行过的预报模拟；②预测条件的选择；③编辑输入数据；④在地图上显示预测报表中的图文数据，可以拖动显示，也可以进行缩放；⑤在地图背景上使用标准 ESRI 格式显示数据；⑥用制表的方式显示预测结果；⑦用曲线和表格的方式显示预测值和遥测的时间序列数据；⑧在地图和表格中通过指定点击去访问并显示时间序列；⑨容易配置，并且易于在标准显示窗口之间进行快速切换；⑩能够显示和比较不同运行方案中的预报值；⑪能够自动产生报告和公告；⑫对所有显示、报告和公告进行打印和打印预览；⑬审计跟踪用户的操作，以帮助事后分析。

4.2.5　荷兰 Delft Hydraulics 的 Delft 3D 系统

Delft 水力学实验室研发的重要软件系统 Delft 3D 是世界上领先的整合二维和三维模型系统，其应用领域涵盖了水动力学、波、泥沙输移、河床形态、水质、示踪粒子法研究水质及生态学等。

4.2.5.1　Delft 3D 系统模块

Delft 3D 系统的主要模块有如下几种。

(1)Flow 模块。主要应用于江河水流模拟、海湾淡水湖流量计算、盐水侵蚀、潮流和风生流、波浪流等。该模块特殊功能包括可以选择不同的坐标系统，一体化地自动将二维底部切应力转换为三维的底部切应力，内含的防止计算失真的自动校正功能，优化的涡旋强度计算功能(该功能在泥沙和侵蚀计算中都十分重要)，优化的潮流计算和分析系统。

(2)Ecology and Water Quality 模块。将化学、生态和水力学、河流演变学结合起来去分析问题，提出解决办法，评价提出解决方案的有效性。MIS、

DSS 和 GIS 与水质和生态模型结合是进行研究的重要工具。

(3)Morphology 模块。该模块可以用来模拟河流及河口海岸几天或者几年的形态变化规律，这些变化是在水流、波浪及泥沙运动的相互作用下的综合作用结果。可以高效而精确地模拟复杂的计算区域。

(4)Sediment Transpost 模块。该模块可以用来计算黏性沙和非黏性沙的输沙模式。

(5)Waves 模块。该模块可以用来模拟海岸的随机波和风生波等的传播和输移，并且可以扩展到河口、潮流入口和河槽等。也可以计算某一种风或者水流产生的任意深度波的传播。

4.2.5.2　Delft 3D 系统特点

Delft 3D 系统最重要的特点是以下几种：

(1)所有的程序模块显示了高度的整合性和交互操作性。

(2)软件包提供了一条直接进入顶级专家领域的捷径，它汇集和发展了世界上最古老也最有名的水力学机构之一 Delft Hydraulics 的智慧。

(3)图形用户界面友好(见图 4-9)。

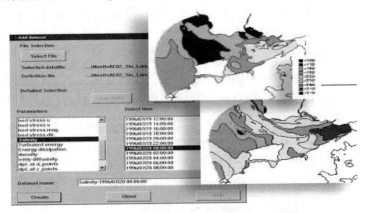

图 4-9　Delft 3D 可视化系统界面示意图

4.2.6　美国密西西比大学 NCCHE 系统

美国国家计算水科学与工程中心(National Center for Computational Hydroscience and Engineering，简称 NCCHE)，分属密西西比大学土木工程学院。20 世纪 90 年代初，NCCHE 与美国农业部国家泥沙实验室(USDA–ARS National Sediment Laboratory)研究开发了 DWAVNET(Diffuse WAVe model for channel NETworks，1996)和 BBEAMS(Bed and Bank Erosion Analysis Model for Streams，1997)，用以预测长时期流域和河道侵蚀变化。DWAVNET 模型的动量方程为扩散波模型，BBEAMS 模型是利用平衡输沙方程。而后逐步

开发了 CCHE1D 河网模型、CCHE2D 平面二维模型和 CCHE3D 水流泥沙模型。

4.2.6.1　CCHE1D　河网模型

CCHE1D 软件包包括水流模型(CCHE1DFL)、泥沙模型(CCHE1DST)、地形分析模型 TPZ(Topographic Parameteri Zation)、流域污染模型 ANPSPM (Agricultural Non-Point Source Pollution Model)和土壤水流评价模型 SWAT (Soil and Water Assessment Tool)。各模型之间通过高度自动化的图形用户界面进行连接(见图 4-10)。

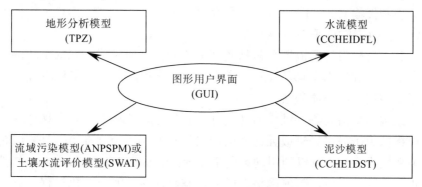

图 4-10　CCHE1D 软件包组成示意图

水流模型可以利用扩散波或动力波模式模拟河网非恒定水流，模型考虑复式断面主槽和滩地水流的不同，同时可以考虑管道、量水槽、桥渡的影响。可以利用动力与扩散波混合模式计算局部急流和缓流。

泥沙模型为不平衡非均匀输沙模型，可以模拟河岸坍塌及展宽过程。诸如，河床质空隙率(淤积物干容重)、恢复饱和系数、冲泻质分界粒径、混合层厚度等主要利用已有公式进行计算。对于计算公式和相关参数可以有多种选择(如水流输沙能力有四种公式)，有利于模型的推广与应用。河岸的横向水力侵蚀量估算主要采用 Arulanandan 等(1980)提出的主要用于计算黏性河岸泥沙水力侵蚀强度的经验公式。河岸冲起的泥沙直接作为侧向入汇加入河道冲淤计算。河岸重力失稳判别主要是采用 Osman 和 Thorne 提出的适用于平面型滑动失稳的岸坡稳定性分析方法，该方法在分析中考虑了水流淘刷坡脚对河岸稳定性的影响。

地形分析模型(TPZ)主要是用于分析地图信息、形成数字高程模型(DEM)的工具软件。通过 CCHE1D 模型，图形用户界面(GUI)为 TPZ 软件提供计算区域地理信息。TPZ 软件可以根据地理信息确定各于区域的水流流向、各支流的集水区域等，进而输出分析报告、分析日志、图表数据等，而后通过 GUI 将数据转化、传输给流域模型和河网模型。

流域污染模型(ANPSPM)或土壤水流评价模型(SWAT)主要计算流域产水产沙量，为每一子区域水流泥沙冲淤模型提供进口边界条件。基本部分包括水流模块、侵蚀模块、泥沙输移模块、化学物质输移模块。其中水流模块主要计算产流量及过程；侵蚀模块中利用通用的土壤流失公式计算泥沙量，而后利用水流有效输沙能力确定运移沙量(产沙量和输沙量分成不同粒径级)；化学物质输移模块主要计算土壤含氮量、土壤含磷量和化学需氧量等。

图形用户界面(GUI)是基于 GIS-ArcView，可以自动完成各模块之间数据的交换和传输，并实时进行检查和存储。

4.2.6.2　CCHE2D 平面二维模型

其水流构件的紊流模型包括底部平均的拟紊流模式、底部平均的混合长度紊流模式和底部平均的 $\kappa \sim \xi$ 紊流模式。方程离散主要采用有效单元法，最近又发展了有限体积法。

二维模型除具备一维模型功能外，还将其扩展为准三维模型(Quasi-3D)，可以模拟由于河岸淤进或蚀退而引起的河势变化。模型在每一计算时刻，如果河势发生变化，可以利用动态网格生成(Dynamic Mesh Generator)软件适时修正计算区域，生成新的网格，以适用蜿蜒性河流河势变化过程。见图 4-11 和图 4-12。

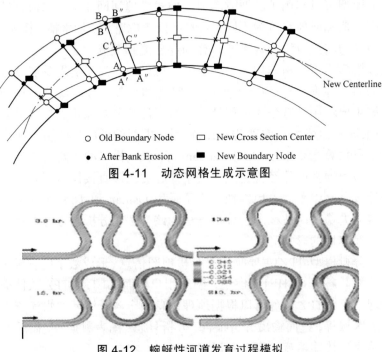

图 4-11　动态网格生成示意图

图 4-12　蜿蜒性河道发育过程模拟

4.2.6.3 · CCHE3D 水流泥沙模型

主要发展了水流模型，其基本原理和数值方法与二维模型基本一致。泥沙模型基本结构与一维、二维模型相同。模型已在局部河段冲刷，如丁坝附近、桥墩附近、水下鱼梁、泄水建筑物以下冲刷坑等方面得到应用。

4.2.6.4　NCCHE 系统的突出特点

(1)强调对模型的测试和率定。强调测试、率定和验证是分开的，应分步进行。率定和验证的资料应互不涵盖。同时，为验证模型有关参数或计算公式的合理性，在模型研制开发过程中既要对关键"部件"进行验证，也要对整体进行检验，以确保"配件合格、成品可靠"。

模型测试主要从理论解、试验数据和实测数据三个方面进行。理论解包括概化河槽层流流速分布和层流边界层变化、概化传质分布模拟等。试验数据包括丁坝附近水流场、突然放宽的渠道水流场、180°"U"型河湾水流场、正弦生成弯道(Sine–Generated Curved)水流场、复式河道水流模拟、收缩渠道急流水流流场、缓流—急流—缓流转换水流场、冲积水槽淤积和冲刷模拟、蜿蜒性河流河床形态模拟等。

(2)注意实际应用与物理模型结合。该中心的一个主要理念是将数学模型建立成"电脑水槽"，利用"电脑水槽"进行大量规划设计方案(包括不同边界条件)的模拟，模拟各种不同情况以供设计部门参考，进行方案优化，待方案确定后，进行必要的物理模型试验去验证。同时尽量使模型界面简单实用，可以满足不同层次人员使用。

4.3　对黄河模型系统发展的建议

首届黄河国际论坛结束后，美国 NCCHE 的 Dr. Sam Y. Wang 于 10 月 25 日离郑前，提出了书面建议。荷兰 Delft Hydraulics 的 Prof. Huib de Vriend 于 10 月 26 日自荷兰传回座谈会备忘录。各模型研发机构的主要内容简报如下。

4.3.1　荷兰 Delft 水力学所

(1)工作内容主要集中在模块构件的开发(包括模块之间引擎和连接)上。这项工作完成后要经历另一个阶段，在这个阶段中，主要问题是如何将所有模块用于描述相关的黄河自然现象，重要过程要包括不同的空间和时间尺度。一些过程(如水流)需要用高精度描述，另一些(如生态系统)只能用低精度描述。这意味着有一非常重要的选择，即每一模块用什么精度和频率来运行，高精度模块结果如何集合到低精度模块的输入，低精度模块结果如何分解到高精度模块的输入。因此，为了完全地包括长时间尺度，必须开发集合或参数转换的详细模块。

(2)模块内部之间的复杂连接需要通过模型数据管理系统来实现，模块之间耦合必须具有灵活性，开放系统构件可以提供帮助。

(3)模型总体设计不仅要适合数值模拟模块，而且要适合于从原型黄河或模型黄河中获得的数据流。模型和数据集成在现代模拟中起着越来越重要的作用，合适的模型和数据设计系统可以为 "三条黄河" 相互之间的优化提供平台。

(4)随着观测方法的不断完善，它们将产生大量的数据流。特别是当二维或三维模型验证和检验时需要提供大量的数据信息，这些处理数据流变得非常大。此外，从完全地验证模型中获得的计算结果也可以作为"数据流"处理。因此，黄委应考虑建立一个健全的数据存储和维护系统，以确保数据存取持续利用。

(5)模型完成后，维护和支持模型的费用是很高的，但经常会被低估。为了减少维护负担，Delft Hydraulics 尽可能使用工业标准化非核心的软件，如 GIS 和图像模块等。

4.3.2　美国密西西比大学 NCCHE

(1)采购网格生成器应以源程序为主。采购前需仔细试用，合同要详细周详；要求能自动生成结构网格或无结构网格，程序代码应与其他构件兼容；生成后的网格可以通过拖动鼠标在屏幕上直接修正。

(2)如果进行数值方法比选，需增加人力，平行进行以提高时效。比选时应考虑不同情况，因为不同数值方法对各种物理过程适用性和效率有一定差异。数值方法要选择新的而不是 10 年或 20 年前的方法。合理数值方法可以保证模拟精度，并行计算可以提高计算速度。

(3)数学模型必须进行率定和验证。NCCHE 可在率定方案设计等方面提供服务。所有研发步骤均相当费时，必须一步一步慎重对待而不能草率从事，要及时修正错误，以避免高楼建成后不能持久。

4.4　主要认识

(1) IT 技术已广泛应用于水利各个领域，并为水利现代化提供了新的有效途径。水科学数学模型随 IT 技术迅猛发展应运而生，并逐步向功能集成化、过程精细化方向发展；近期与"3S"技术充分结合，已初步实现了数据采集自动化、模拟过程可引导化和计算结果可视化，为水利现代化和决策科学化提供了强有力的技术支撑。

(2)数字黄河和数字流域建设需要设计 IT 与水利结合的完备解决方案。

"数字黄河"发展要高起点，以最新的 IT 技术为手段，以水沙输移规律和水利管理技术为基础，硬件建设和软件建设并举，逐步实现 IT 技术与水利的完备结合。

(3)数学模型是解决水问题的有效工具，模型研发应遵循测试、率定、验证、应用等步骤，同时注重与物理模型和原型观测协调发展。数学模型建设是一个系统工程，应按照系统的观点进行模型设计，同时要严格遵循模型研发规律，切实做好模型测试、率定、验证等工作，才能确保所研发的模型理论基础可靠、数值方法健全。同时要充分发挥黄河的资源优势，加强与"模型黄河"和"原型黄河"的相互结合，提高资源的利用率，以确保数学模型系统的实用先进、通用可扩展。

(4)黄河泥沙问题十分复杂，黄河数学模型研发要长期规划、立足自身、加强交流、注重维护。国外模型系统建设至少经历了 10 年以上甚至更长时间，经过了几十个甚至几百个算例的检验，并在实践中逐步丰富功能、提高精度。因此，黄河数学模型研发也要有长期规划，协调好建设与管理的关系，做好后期维护。"以我为主，博采众长"的研发原则正是基于黄河泥沙问题特殊复杂性的认识而提出的，也是黄河治理开发可持续发展对人才和技术的必然要求。黄河数学模型系统发展应发挥后发优势，加强对外交流和必要的技术合作，以实现跨越式发展。通过广泛交流和调研，近期咨询合作主要侧重于建模思路及总体结构设计、水沙计算构件的数值方法、河床横向变形模拟技术、网格自动生成及动态调整技术、与 GIS 的接口技术、模型测试方案设计等。

第 5 章　首届黄河国际论坛
"挑战计划"分会场技术总结

"挑战计划"(Challenge Program on Water and Food)是国际农业研究咨询联盟(CGIAR)发起的一个大型国际合作研究计划。该计划的目的是,在环境可持续、社会可接受的原则下,有效提高农业和生活用水的利用效益。"挑战计划"的第一阶段(2003~2008 年)由来自世界各地的国际研究机构、流域机构和非政府组织等 18 个单位组成联合体进行管理,管理对象为分布于世界各地的黄河、恒河、卡尔黑河(伊朗)、湄公河、尼罗河、林波波河(非洲)、圣弗兰西斯河(南美洲)等 7 个典型流域和 2 个相关流域(西非的沃尔特河和南美的安底斯河),按提高作物水生产率、流域上游的水综合利用、生态系统和渔业、流域水资源一体化管理、全球和国家水与粮食系统等 5 个研究主题进行应用研究。国际水资源管理研究所(IWMI)承担"挑战计划"秘书处工作,负责全球"挑战计划"的管理工作。国际水资源管理研究所得到了来自政府、基金会、国际和地区组织(如国际农业研究资讯小组)等方面的共 58 项资助,同时得到加纳、巴基斯坦、南非和泰国政府的支持。黄河流域综合评价研究是荷兰政府所支持的农业水管理综合评价中的部分内容。黄委为"挑战计划"的 18 个联合体成员之一,国际合作与科技局局长刘晓燕为该计划在黄河流域的项目协调人,负责黄河流域的项目管理工作。

在首届黄河国际论坛"挑战计划"分会场,国际水资源管理研究所(IWMI)的 9 位专家和黄河水利科学研究院的李会安共 10 位代表作了发言。会议的议题为黄河流域综合评价。各代表发言的主要内容有 IWMI 在中国的研究活动、黄河流域综合评价、灌区用水与节水、提高水的利用效率与可持续、如何用更少的水生产更多的粮食以及在河南省开封及柳园口灌区的试点情况等。

5.1　概述

5.1.1　国际水资源管理研究所东南亚地区办公室主任 Ian W.Makin:IWMI 在中国的研究活动

Ian W.Makin 指出,当前中国水资源面临的挑战是:水资源空前紧缺,分布不均衡,水多、水少、水脏。因此,IWMI 选择黄河流域进行水资源评价研究是有典型意义的。

关于 IWMI 在中国的合作，作为公正的旁观者，IWMI 清楚黄河流域面临的问题，黄河也需要一种新的思维和方法来解决自身的问题。黄委是"挑战计划"的重要成员之一，黄河的问题在世界上也极具代表性，黄委需要进行外向拓展，走向世界，加强国际合作与交流；IWMI 也需要了解黄河，"挑战计划"就是一个良好的开端，以后还要稳步地加强与黄委的合作。目前，IWMI 已经在北京开始注册公司，下一步将继续扩大与中国的合作机构。

5.1.2　国际水资源管理研究所 Randy Barker：少用水，多产稻——柳园口灌溉系统研究概述

作为一个人口众多、生活依赖水稻产量的国家，中国正在不断发展以稻田旱湿轮作为基础的节水农业技术。旱湿轮作及其他农业节水技术已在中国的不同地区得到了应用。

本研究的最终目的就是，提高以水稻种植为主灌溉体系的管理技术水平，在用水矛盾不断加剧的情况下，保护环境，维持或提高农业产量。主要研究节水农业在农田层面上的农艺及财务评价，同时对长期洪水条件下的水稻在稻田旱湿轮作及控制范围内的需氧水稻试验条件下的节水灌溉情况进行了比较。通过分析野外试验的结果，对农场、灌区及支流小流域在不同情况下的节水潜力进行了估算。

为保证稻田旱湿轮作的成功实施，农民需要有较高的技术水平和管理机制来保障水源的及时供给。各类政策、机构、管理方法及基础设施在农场层面和系统层面上对节水行为的影响在此进行了研究。

目前，稻田旱湿轮作的投入和产出在不同的位置有其特殊性，不同的节水灌溉技术的优势也需要量化。为推断不同状态和不同地区的结果，需要运用一个通用模型(农作物生长模拟，水文学)将不同范围及各种影响因素联系起来，从而做到真正意义上的节水。

本文的研究成果将为国内外对不同节水战略的选择提供技术的、知识的支持，促进灌区系统水管理技术的发展。在面临用水需求竞争增长的情况下，提高灌溉水的利用效率，使环境可持续和粮食生产保持增长。

5.1.3　国际水资源管理研究所 David Molden：城市与乡村相结合的华北地区可持续用水

有限的水资源和不断增长的用水需求之间的矛盾导致了华北平原水资源的持续缺乏。虽然近些年为解决这一问题付出了很大努力，但地下水位还是在不断下降。通过定量分析 1949～2000 年间水文变化对河北省滦县和石家庄市的影响，对造成地下水位不断下降的原因和潜在的解决方案有了一定的认识。

为保证水的可持续利用，已开始通过提高灌溉效率来减少地下水的开采。

事实上，自从 20 世纪 70 年代以来，抽灌率已经减少了 50%。当然，通过超量灌溉对地下水的回补也相应减少。因此，地下水位的下降还没有减弱。因为灌区下面有浅含水层，超量灌溉的水又补充了供水，这样的物理结构使灌溉效率的提高并不能节约水量。想节约水量，只能通过减少蒸发量来实现，即靠减少灌区面积来实现。

因为社会经济发展的原因，目前，中国领导人正在倡导华北平原的城镇化建设。城镇化建设将大力发展工业，因为工业是经济发展的基础，同时也能吸收劳动力和创造就业机会，从而吸引农村剩余劳力，减小城乡的贫富分化。

从水文学的角度来看，城市土地替换灌溉农田是否是一个好的选择，还有待进一步的论证。

像其他农业地区一样，中国北方大多数城市也依靠地下水。然而，不同的是，水经过工业和生活的循环不能像农业用水一样再回补给地下含水层。其实，大量的废水流到了远离城市的农村。同样，城市内降雨通过城市下水管道也很快地流出城市。因此，虽然城市的蒸发量小于农田，但城市范围内地下水面线下降得比农田的更严重。城镇化最大的水文影响是局部的排除量，而不是必需的水消耗和污染。

通过城市替换农田，整个地区的蒸发量可能会降低。于是，问题就转化为如何认真管理和分配水资源了。城市污水的处理将是解决水资源问题的一种方法，这样，处理过的水就可以被下游地区的农民所利用。这有个很大的范围，就是通过提高工业用水效率，来减少地下水抽取和污水处理的费用。通过利用暴雨或人工方式回灌地下水，可以很好地解决城市附近地区地下水面下降的问题。因此，如果城市废水和径流都能得到有效处理，那么通过城市用地来替换农田，不仅对中国北方地区的经济发展有利，对改善当地的水文状况也是好的。

从整个华北地区来看，目前灌区大都实行漫灌，节水效率普遍不高，农业用水大量挤占了生态和环境用水。因此，要保证用水的可持续，必须减少种植面积。

局部地区工业及城市向河流排放大量污染物，使河水污染严重，水质变差。其解决办法就是进行污水处理，使水资源得以循环利用，提高工业用水效率，或者用人工方法储存雨水。

5.1.4　国际水资源管理研究所董宾：水稻种植对河南省引黄灌区的影响

河南省位于黄河流域下游的上部，是我国主要的粮食作物产区。全省现有大中型引黄灌区 26 处，设计引黄灌溉面积达 52.36 万 hm^2，其中，水稻灌溉面积为 8.5 万 hm^2，占作物灌溉面积的 16%。传统的灌水方法上，水稻淹灌在河南省引黄灌区被普遍采用，引黄灌区水稻平均灌溉定额为 15 000 ~ 18 000

m^3/hm^2。水稻生产消耗了大量的引黄水量。因此，随着黄河流域水资源短缺形势的日益严峻，水稻种植对引黄灌区的发展和影响无疑是值得关注和讨论的问题。

本文回顾了河南省引黄灌区水稻种植的历史和现状，结合灌区 40 年来引黄种稻出现的问题及其治理措施，分析了引黄种稻的经验和教训，并根据典型引黄灌区的水稻灌溉试验资料来评价当前水稻灌溉及水管理的现状，分析了水稻种植对引黄灌区作物种植结构、引黄水量、泥沙淤积和引黄补源等的影响。最后就引黄种稻今后的发展方向进行了讨论，并提出了一些对策和建议。

董宾指出水稻种植对引黄灌区的影响要素有种植结构、引黄水量、引黄泥沙量、地下水位以及周围旱作物的影响、引黄补源等。同时，他还提出引黄灌区水稻发展趋势应该考虑的三个问题是土地盐度控制和垦荒、节水灌区实践、黄河水补偿地下水。

最后得出结论是：黄河流域灌区水稻种植的发展涉及很多方面，如盐度控制、节水灌溉、可用的水资源以及地下水的补偿等。要稳定保持现有的水稻种植面积(8 万 ~ 8.5 万 hm^2)，提高灌区的经济效益和社会效益，才是将来切实可行而有效的方法。

5.1.5　国际水资源管理研究所朱仲平：黄河的水量计算——黄河流域综合评价

水量计算是流域管理和规划的基础。但中国的水量计算系统与世界常用方法之间存在着差异，其差异主要在总供水量计算和地下水计算方面。另外，环境用水量没有包含在水量计算系统之内。朱仲平等根据黄河水量平衡，首先重点分析了流域降水和径流所呈现的减少趋势，指出径流变化与当前规划中假设的平均流量的变化密切相连，另外，供水量的减少、工业和家庭需水量的逐步增加，进一步加大了减少农业用水的压力，而农业用水是黄河流域最大的水消耗部分；其次对黄河流域农业水产品作了估计，作为估算结果，可能影响到农业政策的初步指导思想；最后，强调了黄河管理者同世界其他流域的管理者一样，面临着寻求人类需水与日益增长的生态水需求平衡之间的巨大挑战。

朱仲平等人的研究揭示了黄河流域水量计算框架与那些为国际学者所熟悉的方法之间的差异，而那些方法在总体上与供水计算相关，个别也与地下水有联系。中国的水量计算系统包含两个复杂的重复计算调整，一个是在山区和平原区的地下水估算之中，另一个发生在总地表水和地下水估算之间。以抽水方法得到的地下水资源可利用量作为近似估计值，其结果非常接近隐含假设与复杂计算的黄委系统所推求的值。地下水抽取计量途径也有限制条件，特别是地下水的过度抽取，使地下水补给在中国大多数地区难以维持。流域职能部门对未来供水的估计将非常有用，可以更好地监测地下水抽取状况。该研究成果可促使国外学者在更大程度上对黄河水量计算系统有更深的理解。

中国与国外水量计算方法的第二个差异就是环境需水量的概念。中国环境用水量与国外并不一致,特别是西方国家的概念,例如,黄河流域的主要环境用水被认为是冲沙减少人类的洪水损失。朱仲平等除了对中国水量计算系统提出一些见解之外,还通过对黄河水量平衡资料的检验,进一步提出了一些当前和未来可能存在的与管理问题相关的见解。例如,20 世纪 90 年代黄河水资源大量减少,是由于流域大多地区的降水减少;同时也是由于降水的产流能力降低所导致。一些人认为,降水减少是 70 年周期循环中的一部分,现在即将接近循环终点,即使是这样,实测河川径流也不会回到 90 年代以前的水平,因为降水与径流的比率也下降了。另外,即使降水径流没有减少,工业和家庭生活需水也在逐步增长,根据黄河水量分配,这将进一步使减少农业用水的压力增大。

朱仲平等对黄河流域水产品计算作了初步探索。其结果表明:从产量来说,玉米平均产量最高;但从经济价值角度来看,棉花具有最高的产值。这些研究为政策的制定提供了参考依据。特别是在中国,因为政府在农业决策中扮演着重要的角色。

减少农业用水的压力大幅度增强,主要是因为对环境水需水认识的不断深入。如何满足大量的水需求及如何平衡环境与人类用水之间的矛盾,将是黄河管理者乃至世界水管理者所面临的巨大挑战。显然,中国和国外的管理者及研究者之间存在的问题共同点为其今后加强合作与交流提供了一个绝好的机会,如果双边能够彻底理解彼此的水管理系统及其前景,那么,这些合作将会更富有成效。

5.1.6　国际水资源管理研究所 Mark.Giordano:黄河流域面临的挑战

Mark.Giordano 指出,当前黄河流域面临的危机有水资源短缺、防洪、控制水土流失、水质和环境,其中,防洪是最主要的危机。但是由于一些成功的防洪措施和水资源短缺,防洪不再是最紧迫的压力时,问题就转为如何利用现有的灌溉系统来满足工农业用水和居民生活用水。

(1)水资源短缺。Mark.Giordano 对 1956 ~ 1990 年和 1991 ~ 2000 年两个时间段的上游与中游的径流量进行了比较,得出的结论是:上游来水量减少 20%,中游来水量减少 38%。同时,他还分析了来水减少的原因是降雨的减少和降雨产流的减少。水资源的短缺表现在水量供应的减少和水量需求的增加两方面。近些年,农业、工业、居民生活用水都在增加,且农业与工业增加得较多,故黄河水资源需要统一分配。

(2)洪水威胁依然存在。究其原因一是小花间无工程控制区的暴雨洪水问题,二是萎缩的河槽在一定流量下的洪水威胁。而减少洪水威胁,存在一些客观问题:一是小流量下连续的淤积,如何冲刷淤积的河床,二是如何在缺水的情况下放出 2 000 m³/s 的冲刷流量,三是修建 "三堤两槽" 复式河槽的可能性及时间。

(3)水土流失。黄土高原的治理仍有很长的路要走。目前,用了 50 年的时间治理了 1/3(17 万 km²)的面积,那么余下的要用多少年,这个速度与中国的经济和社会发展相适应吗,要使治理成功,需要在上游地区拦多少水,这些水的利用价值如何,这些都是控制水土流失的关键要素。

(4)水质与环境。目前,黄河水资源污染非常严重。Ⅰ、Ⅱ类水仅占 3%,Ⅲ类水占 36%,劣于Ⅳ类的水占到 61%。

故在发展农业与工业生产时,一定要注意环境与生态的保护。

5.1.7 国际水资源管理研究所 Shahbaz Khan:以中国和巴基斯坦为例,阐述冲积盆地地表水与地下水的相互关系在水利用效率方面的作用

Shahbaz Khan 分析了灌溉引水、湿地利用增加和维护河口生态、渔业健康的关系,指出河流、湿地、地下水是一个有机整体。

通过分析 1980 年以来巴基斯坦 Rechna Doab 灌区和中国开封柳园口灌区的小麦、水稻及人口的年际变化关系,可以发现,人口是持续增长的,而小麦和水稻是波动性增长的,而且水稻的增长幅度不大。

分析得出,1965 年以来巴基斯坦主要河流上地表水的可开采量降低;而 1980 年以来的资料表明,柳园口灌区地下水位也是逐年降低的。1950 年以来,巴基斯坦 Punjab 地区地下水的使用年际变化呈增加趋势,Sagar 地区的年度可用水量呈减小的趋势。以目前这种地下水开采速度分析未来地下水的变化趋势,可以看出,1915 年以后地下水位迅速下降,到 2025 年将会降到最低点。

流域水资源一体化管理的要素包括降雨、蒸发、灌溉、地下水位、农作物等。

Shahbaz Khan 通过研究得出的结论是:①冲积盆地地表水与地下水的相互作用是水循环的重要因素,河流水与地下水的相互转化在节水投资决策时需要认真考虑。②减少节水开支需要综合多学科研究来实现。

5.1.8 国际水资源管理研究所 Nicolas Roost:提高灌溉水的利用效率、生产力和公正性

Nicolas Roost 介绍了一种叫做 "地面灌溉系统选择分析" 的模型。这种模型能反映灌溉水的回流过程和水循环过程,能评估灌溉水的真实效益及在流域范围内进行决策支持功能。创建 "地面灌溉系统选择分析" 模型主要考虑以下几点:①灌溉的需求与供给;②地下水和灌溉引水;③没有农作物的地方。"地

面灌溉系统选择分析"模型与物理条件(用地、水渠等)、水资源管理(灌溉计划、用水、水分配)和产出具有密切的关系。"地面灌溉系统选择分析"模型实际上是一个包括降水、蒸发和可获得资源的环境系统。系统产出包括水平衡因子、农作物产出、灌溉的效果。例如,水的利用率、产出和平衡。

Nicolas Roost 选取山东簸箕李灌区来分析"地面灌溉系统选择分析"模型的结构,说明其模拟过程。土壤浅层含水层就像一个大型水库,具有非常重要的作用,可在枯水期用水泵抽水灌溉。这个地下水库收集来自水渠或灌区农田里大量的渗流或渗透水。如果水的抽取持续大量增加,就会使地下含水层不能得到及时补充,长期下去会影响地下水对地面水资源供求矛盾的缓冲作用。加强管理、提高水量分配的均衡性无疑是一种提高灌溉系统内水的生产力行之有效的方法。对于处于更严重水危机的情况下,这样做是否还有效,需要进行更进一步的研究。

Nicolas Roost 指出,下游灌区蓄水再利用方式有以下几种:①通过成千上万的井群来蓄积浅层地下水;②通过闸门和土坝来蓄水;③大型水库蓄水以供灌溉和居民用水(仅限下游)。

Nicolas Roost 同时对模拟的对象进行了假定:采用 1999 年特别干旱的年份,用 1999 年记录的河槽引水为约束条件,月份从 1 月到 9 月,即春灌和雨季。S1 为低效率应用效果(产出率 35% ~ 40%),S2 为高效率应用效果(产出率 60% ~ 65%)。分析了在 S1 模式和 S2 模式下,引水、水泵抽水、损耗、单位水的产出和蓄量的变化。

随着黄河流域水的使用迅猛增长,流域的下游地区正面临水资源的日益短缺造成粮食产量的下降。对于水资源的短缺和水量供应的不可靠性,下游灌区已广泛地使用当地水资源,如地下水和暂时储存在池塘与渠道里的水。当河水的流量不足时,这些水资源可为农田提供一部分额外的、机动的水量,缓解作物旱情。

传统的灌溉模式常被限制于水量平衡的一部分,没有考虑灌溉工程内部的用水情况,因此对于流域级的引水灌溉具有局限性。Nicolas Roost 等提出的"地面灌溉系统选择分析"模型,是一个考虑了综合循环和水平衡主要因素的模型。通过模型在黄河下游簸箕李灌区的模拟情况,可以看出,该模型的输出是具有代表性的。模型的模拟表明,主要的保水措施在灌区已经实施,而传统的灌溉方式(例如水渠连接)在节水方面效果不明显,相反,这种措施会减少地下水的蓄积量,所以改变落后灌溉方式将是长期的工作。

Nicolas Roost 提出,不考虑水循环和水的垂直分布的灌溉将会产生灌区用水效果、产出和水平衡方面的误导,而"地面灌溉系统选择分析"模型由于综合考虑了地下水与地表水的关系，因而在灌溉的模拟方面是可以信赖的。该模型在灌区的应用将给人们提供一个改进水的利用率、产出和水平衡的方法和途径。

5.1.9　国际水资源管理研究所 T.P.Tuong：灌溉方法对开封水稻与旱稻产量以及单位用水产量的影响

开封市及其周边地区面临着缺水问题，尤其是产稻区情况更为严峻。在不久的将来，用于种植稻谷的水量会日益减少，节水和"用更少的水生产更多的粮食"就显得非常重要。该研究的目的就是检验具有高单位用水产量的旱稻是否可以在开封成功种植，并检验灌溉方法在各种地下水位条件下对用水量、稻谷产量和单位用水产量的影响。该研究通过试验定量描述了从仅靠降雨到持续淹没的不同灌溉方法对一般水稻和旱稻的生长、产量以及单位用水产量的影响。

为了验证旱稻能否在开封地区种植，并比较节水技术对产量、灌溉用水量以及旱稻和水稻的单位用水产量，2001 年和 2002 年分别在地下水位不同的两个地点进行了对比试验。灌溉方法分为水淹法、干湿交替法和漫灌法。

旱稻产量明显低于水稻，尤其是采用维持高土壤水势的灌溉方法时更是如此。这可能是由于旱稻分蘖少、生长期短引起的。2001 年采用水淹法的试验田用水量最高，干湿交替法次之，漫灌法最低。在采用漫灌法的 2002 年的试验中，当临界土壤水势(在达到此水势时实施灌溉)从–10 kPa 减到–70 kPa 时，用水量明显减少。当地下水位浅时(2001 年)，灌溉方法对旱稻和水稻产量的影响都不大。当地下水位深时(2002 年)，产量随临界水势的降低而下降，对于水稻尤其如此。临界水势–10 kPa 的试验田单位用水产量明显比临界水势更低的试验田低。试验证明，在开封可以成功地种植旱稻。试验成果还表明，灌溉方法对产量和单位用水产量的影响取决于地下水的深度。采用适当的方法种植旱稻，比如增加种植密度和直接播种可以提高产量。直接播种同时可以省掉插秧后 20 天的水淹期(为了适应移栽)，这样就减少了用水量，提高了单位用水产量。节水灌溉节约用水量的潜力和它对产量及单位用水产量的影响取决于土壤类别、地下水位和气候条件。

该试验中用的旱稻 HD502 主要是中国温带地区培育的，试验表明，旱稻也可以在开封地区很好地生长。旱稻对水压力的敏感程度明显较小，这是它比水稻明显优越的地方。

旱稻产量明显较低，这与它的生长期较短、分蘖能力较低有关。但短的生长期也有一些优点可以弥补量低的缺点：例如，允许种晚茬庄稼，从而增加了土地总产量，并且增加系统总产量和单位用水产量。加大种植密度可以补偿旱稻的低分蘖能力。

插秧反应可以通过直接播种避免，这样就不需在插秧恢复期保持淹没，同时,还可以增加旱稻的产量;更重要的是,直接播种不用在秧苗移栽成活期用水漫灌稻田,这可以减少用水,尤其是土壤渗透性高并且地下水位较深时效果更明显。所以,直接播种对提高旱稻单位用水产量特别重要。

节水灌溉,特别是漫灌法和依靠降雨法,可以比农民采用的水淹法明显减少灌溉的用水量。如果土壤水势不允许低于–30 kPa,不会影响稻谷产量,这意味着有可能找到一种减少稻谷用水量的灌溉方法。然而,这些研究与当地条件有关,该试验是在农田中相对较小的区间内进行的,这可以保证灌溉历时很短,并且能保证灌溉的有效性;在大田中,灌溉历时较长,可能引起较大的渗漏损失。研究结果还表明,产量和灌溉方法之间的关系高度依赖于地下水深度,灌溉方法的效果数据只有在相应的地下水和土壤条件下才适用。在节水灌溉方法大范围推广前,需要更多地研究灌溉和地下水之间的相应关系。2001 年试验地点的浅地下水位可能是周围稻田经常被水淹,积水渗漏到地下补充地下水引起的。而且,试验区灌溉渠道下面的渗漏也会补充地下水。如果大范围采用节水灌溉方法,地下水位会降低,灌溉方法对产量的影响变得更明显。系统模拟、使用模型对于分析地下水、渠道和灌溉方法对稻谷产量和单位用水产量的复杂相互作用效果是很有必要的。

5.1.10　黄河水利科学研究院李会安:黄河灌区用水与节水

李会安首先回顾了黄河灌区的发展过程:早在 2000 多年前,黄河流域就修建有农田水利工程,开始了农田灌溉,但大规模的水利工程则始建于新中国成立后。

5.1.10.1　用水现状

在黄河流域,农业是用水大户,全流域耗用河川径流量的 92% 为农业用水,但利用率还较低,仅为 0.3 ~ 0.45。

宁夏引黄灌区目前还不同程度地存在"大引大排、大水漫灌、以水压盐"的现象,造成灌区灌水量大,灌溉定额高,地下水埋深浅,潜水蒸发强烈,水资源无效损耗严重;内蒙古河套灌区在长期的生产实践中形成了作物生育期灌溉与秋浇储水的灌溉习惯,除作物生长期灌水外,作物收获后再进行一次秋浇,其秋浇用水量占全年用水的 40%;黄河下游引黄灌区目前发展到了自流、提水、抗旱补源相结合的多种灌溉模式。

5.1.10.2　灌区节水现状及存在的问题

5.1.10.2.1　现状

随着黄河流域引黄灌区的发展,各种节水灌溉技术和措施也先后得到了不同程度的应用,尤其是渠道防渗技术,在引黄灌区得到了较广泛的应用。

喷灌和微灌技术、一些节水的非工程措施也随着灌区的发展而逐步开始应用。"分级供水、用水计量、按方收费",逐步建立和完善了一系列取用水许可、用水签票和水费计征制度等。

5.1.10.2.2 存在的问题

灌区节水存在的问题主要表现在以下几方面:

(1)节水发展速度缓慢,发展水平不平衡,与水资源供需形势的变化不相适应。

(2)部分灌区节水意识淡薄,只要黄河有水就尽量用,水多随意用,水少抢着用,对节水灌溉的重要性认识不够。

(3)资金投入力度不足。

(4)缺乏相应的配套政策和法规,没有节水的激励机制。一方面水费价格低,缺乏合理的水价形成机制,没有形成节水市场;另一方面在管理上,许多灌区只管引黄河水,不管地下水,地上水、地下水管理分离。

(5)缺乏针对引黄灌区特点的节水技术研究。引黄灌区不同于其他灌区,尤其是黄河下游,引水必引沙。引黄灌区的这一特点限制了部分节水技术的推广应用,同时,引黄灌区在种植结构上以粮食作物为主,耗水量大,经济效益低,难以承受高投资的节水技术。

5.1.10.3 黄河灌区节水的潜力

当黄河灌区现有灌溉面积全部实现节水达标后,估算黄河灌区灌溉水利用系数可达到 0.54～0.6,可比目前节约灌溉水约 20%,其中宁蒙灌区节水潜力大于下游引黄灌区。

5.1.10.4 灌区节水的途径

(1)通过采取高效输水技术,减少输水过程中的无效损失。

(2)采取先进的田间灌水技术,提高灌水效率。

(3)减少土壤水无效损耗,提高土壤水向作物水的转化率。

(4)改善种植结构和作物品种,减少作物需水量。

5.1.10.5 黄河灌区适宜节水技术(措施)

黄河灌区适宜节水的措施主要有渠道防渗,管道输水,微、喷灌,地面灌溉节水技术,井渠结合,用水管理技术等。

5.2 认识和体会

面临全球严重的缺水问题,尤其是水资源日趋紧缺且污染严重的中国,研究和推广节水技术,进行水资源 体化管理,保证工农业生产和居民生活用水,保护生态环境,促进水资源可持续利用和经济社会的可持续发展就显得尤为重要。在此历史背景下,"挑战计划"的发起和实施具有非常重大的意义。通过提高作物水生产率、流域上游的水综合利用、生态系统和渔业、流域水资源一体化管理、全球和国家水与粮食系统 5 个主题的应用研究，最终实现在环境可持续、社会可接受的原则下，有效提高农业和生活用水的利用效益。

国际水资源管理研究所(IWMI)在国际上水与粮食方面的研究具有很高的学术地位，由于承担全球"挑战计划"的管理工作，而越发扩大了其在国际水管理方面的影响力。IWMI 近些年在中国发展活跃，对黄河问题很感兴趣。黄委作为挑战计划 18 个联合体成员之一，在承担"挑战计划"项目实施过程中与 IWMI 加强了合作与交流，对培养科研与管理人才、扩大自身的国际影响力具有重要意义。

此次来中国参加首届黄河国际论坛的国际水资源管理研究所的几位专家围绕"黄河流域综合评价"课题研究，在黄河流域面临的危机与挑战、提高灌溉水的利用效率、灌区节水技术及方法等方面进行了广泛交流和深入探讨。如 Randy Barker "少用水，多产稻——柳园口灌溉系统研究概述"研究，目的是提高以水稻种植为主的灌溉体系的管理技术水平，在用水矛盾不断提高的情况下，保护环境，维持或提高农业产量；T.P.Tuong "灌溉方法对开封水稻与旱稻产量以及单位用水产量的影响"研究，是通过试验单位用水产量高的旱稻是否可以在黄河下游地区成功种植，检验不同灌溉方法在各种地下水位条件下对用水量、稻谷产量和单位用水产量的影响，最终实现用更少的水生产更多的粮食；Shahbaz Khan 的研究揭示了冲积平原地表水与地下水的相互关系在水利用效率方面的作用；朱仲平则比较了黄河的水量计算方法与国外常用方法的不同。该分会场黄委承担单位惟一的发言人是黄河水利科学研究院李会安博士，他全面分析了黄河灌区用水与节水的现状及存在的问题，提出了黄河灌区适宜的节水技术和措施。

5.3　小结

当前黄河流域面临的危机依然是防洪、水资源短缺和水环境恶化。由于上游来水减少和两岸工农业及生活用水的迅猛增长，水资源问题显得尤为突出。如何利用现有的灌溉系统发展节水农业，满足下游输沙用水和生态用水的需要，成为黄委越来越迫切的任务。

黄河流域是中国主要的产粮区。研究和推广节水技术，改造灌溉系统，提高灌溉水的利用效率，发展节水作物，用更少的水生产更多的粮食，在水资源日益紧缺形势下对于维护社会稳定、促进经济社会可持续发展具有重大的现实意义。保证黄河生态用水，维持河流健康生命，是黄河治理的终极目标。

第 6 章　首届黄河国际论坛
水文测报及监控技术专题总结

　　2003 年 10 月 23 日上午,作为首届黄河国际论坛主要分会场之一的"水文测报与监控技术"专题会议在黄委水文局组织下成功举行。会议分 C1、C2 两个小组进行,C1 组由美国地质调查局约翰·格瑞先生和荷兰德尔夫特水利环境研究所王正兵先生主持,C2 组由芬兰瑞特·彼特先生和黄委水文局张红月先生主持。来自国内外 12 个国家和地区的 60 余位专家、学者参加了会议,其中 12 位与会专家作了现场学术报告。会场气氛热烈,与会代表踊跃发言,有 20 人次分别就现代水文与传统水文的差异、空间采集技术在黄河流域的应用、含沙量测验及颗粒分析技术、水污染监测技术、水文监测网规划以及分布式水文模型、水文模拟方法与模型参数率定等问题进行了提问和讨论。

　　通过此次学术交流,与会专家对黄河流域水文、水质监测和预报的现状和发展方向以及目前该领域国际上的前沿技术和思想有了比较全面的了解,同时,国内外同行通过此次的交流,增强了了解,加深了友谊,为进一步交流与合作奠定了基础。现概要介绍如下。

6.1　传统水文向现代水文转变是社会经济发展的必然要求

　　社会经济的发展,使水的资源属性日益凸显出来,同时,人类因为洪水、干旱、水污染以及生态系统破坏付出的代价也愈来愈大。为了解决社会经济发展与水资源保护之间的矛盾,水利部党组提出了实现从传统水利向现代水利,即可持续发展水利转变的新的治水思路。水文是水利的基础,为了满足和适应现代水利的要求,水文行业必须首先实现从传统水文向现代水文这一战略性的转变。

　　传统的水文站网布设主要建立在传统水文学的基础上,通过在流域面上布设若干个站点,对流域内水的循环运动进行监测,这种方法对过去不受或少受人类活动影响的流域来说,基本能够满足控制流域水的总量、分布及研究水循环运动规律的要求。但是,随着社会经济的快速发展以及人类活动的严重影响,实测径流量占天然径流量的比重越来越小,水的质量越来越差,同时,流域下垫面的变化也改变了水的原有循环运行规律。传统的水文方法由于不能对流域面上甚至空间的水循环运动分布进行跟踪监测,已不能满足现代水利对流域水资源进行全流域统一配置、调度的要求，这就要求水文工作必须突破传统，充分利用现代科学技术理论，特别是利用空间数据采集技术，对流域水的循环运动分布及质量变化进行科学、实时的跟踪监测，研究掌握其变化规律，并对其发展变化趋势进行预测预报。

黄委水文局局长牛玉国从传统水文(学)和现代水文(学)的基本定义到关注重点、研究对象、方法、手段、目的、资料采集、服务等 10 多个不同层面对二者进行了详细的比较，分析了二者的特征和区别，并结合目前正在建设的"小花间暴雨洪水预警预报系统"和"黄河河源区水文水资源测报体系建设"项目，阐述了利用现代科学理论，特别是空间数据采集技术，实现这一转变的必然性。该报告引起了与会专家的强烈反响，并成为"水文测报与监控技术"会场的纲领性理论基础。

6.2　黄河水文、水质监测技术现状与发展方向

黄河是华北和西北地区的重要水源，随着国家西部大开发战略的实施和流域经济的迅速发展，流域内取用水量和废污水量同步增加，水质污染严重，同时，黄河也是举世闻名的多沙河流，黄河独特的水文特性及特点，例如水位－流量关系散乱、水沙量时空分布不均等，给水文测报自动化带来了很大困难。

黄委水文局和水资源保护局的同志在回顾黄河水文发展历程的基础上，分析了目前黄河水文测验和水质监测面临的挑战与存在的问题，并介绍了黄河水文、水质监测未来的发展方向。

(1)建设全方位、多目标、系统完整的优化站网体系，实现降水、水位、流量、泥沙等水文要素采集及传输自动化、数字化。

(2)建立、健全黄河流域的水资源保护体系，加强水资源保护专题建设。

(3)以水功能区的划分和管理为核心，实现污染物入河总量控制。

6.3　美国地质调查局悬移质含沙量和泥沙粒径分析系统

为了保证悬移质含沙量(SSC)和泥沙粒径(PSD)分析资料的精度，并保持资料的长期可比性和全国一致性，美国地质调查局于 1996 年 8 月启动了泥沙试验质量保证程序(SLQA)，对全国的泥沙特性分析实验室进行了评估，评估内容包括以下两方面：

(1)评价 SSC 和 PSD 的精度与误差。

(2)通过对照对同一样本的分析结果，对同一实验室的不同试验或不同方法以及不同实验室的分析精度和准确性进行评估。

　　其目的是评估泥沙特性分析的精度和误差,排除由于技术水平不够或分析方法错误产生的系统偏差,并让用户在使用实验室的分析数据时能够确定数据的误差范围。研究结果发现:①SSC 通常为负偏差;②测得的砂子级泥沙组含量通常为正偏差;③测得的超细粒径级(泥土级)泥沙组含量通常为负偏差,并且其结果比砂子级泥砂组稳定。

　　为了弄清测得的砂子级泥沙组含量偏大、而泥土级泥沙组含量偏小的原因,美国地质调查局从 2000 年 3 月开始对泥沙样本进行专门研究。经过分析研究,得出了如下结论:

　　(1)泥土的凝聚效应和对砂子的黏附作用是产生这些误差的主要原因。

　　(2)泥土的凝聚效应与水的 pH 值以及溶解物有关。

　　(3)细菌可能是泥土颗粒产生凝聚的原因之一。

　　(4)悬浮固体物总量(TSS)方法无论在样本复原,还是分析精度方面都比悬移质含沙量法差。

　　来自美国地质调查局的 John R.Gray 先生从泥沙样本采集、质量指标、评估方法、评估结果等方面对 SLQA 进行了详细的介绍,并介绍了针对泥沙样本进行的误差分析专项试验,以及对误差原因的初步分析。

　　泥沙问题是黄河最主要的问题之一,泥沙测量和分析的精度对黄河治理开发及相关决策的制定都有一定的影响。美国地质调查局关于泥沙分析资料质量保证的措施和研究方法、研究结果对黄河有非常重要的借鉴意义,同时,其对系统误差的深入研究所体现出的科学、严谨的态度和精神值得我们学习。

6.4　加拿大 Manitoba 大学的河冰研究

　　加拿大 Manitoba 大学水力研究实验室拥有世界上惟一的反旋转水槽,该水槽是大约 10 年前为研究潜冰和底冰而设计的,这里一直在进行的一个研究项目是研究潜冰过程和底冰的增长机制。反旋转水槽放在一个由计算机控制的冷室里,为了观测连续水流情况下流冰的演化和底冰的增长,他们正在开发一个数字影像系统,热力学参数可以通过模拟河流的自然条件进行调整。Jay C.Doering 先生介绍了反旋转水槽及其温度控制系统和数据接收与处理系统,以及一些最新的研究成果。

　　潜冰是指悬浮在水中的细小的、针状结构体,或薄、或平的圆形冰片,当水处于超冷状态时会生成潜冰。在寒冷地区,很多冰问题都是由潜冰引起的。

　　当水流紊动较强时,潜冰可能会被带到河流相当深的地方。由于潜冰黏附性强，很容易凝结到河底，形成底冰，进而造成河流堵塞，取水口和水工建筑物阻塞，影响河底生物的生存，并造成大量泥沙损失。

6.4.1　试验研究的目的

(1)通过实验室试验，检验潜冰的生成、输送和底冰的增长现象。

(2)分型图像资料，研究相关算法，描述潜冰的演化和底冰的增长过程。

(3)研制关于水的过冷过程、潜冰演化和底冰增长的数学模型。

6.4.2　已经取得的研究成果

(1)数字图像处理系统(DIPS)能够辨别直径大于 2 mm 的微粒。

(2)能够捕捉到潜冰的出现、演化和底冰的增长过程，潜冰的形状、方向、位置。

(3)潜冰的尺寸呈对数正态分布。

(4)潜冰形成过程中数粒径趋于稳定。

6.4.3　正在进行的研究项目

(1)改进观测设备，使摄影位置可调。采用两架以上摄像机。

(2)开发 Matlab®立体图像处理程序，揭示潜冰的实际形状。

(3)开发基于 Matlab®的算法，对图像进行处理，研究垂直方向的潜冰分布和底冰增长过程。

(4)对试验资料进行分析，以查明导致底冰增长的主要因素。

(5)基于试验资料，研制模拟潜冰分布和底冰增长的数学模型。

(6)开发基于 Matlab® 的应用软件对建立的数学模型进行求解。

(7)利用试验资料，对数据模型进行验证，以进一步提高其对野外测验的适应性。

冰问题是困扰黄河上中游河段冬季防汛的主要问题，目前，有关这方面的研究不是很多，加拿大 Manitoba 大学的研究也仅处于起步阶段，应密切关注其进展情况。

6.5　基于卫星监测降水和蒸(散)发的黄河流域水管理

由于降水资料不足、缺乏蒸(散)发资料、土壤含水量资料不足以及站网密度过稀、测量误差较大、资料时效性差等问题，按照传统方法实现黄河流域水资源实时管理困难很大。来自荷兰 Delft 大学的环境分析与遥感遥测研究所(EARS)的 Andries Rosema 先生介绍了"基于卫星监测降水和蒸(散)发的黄河流域水管理"系统。该系统由径流模拟、旱情监测、作物产量模拟三部分组成，能够通过能量和水量平衡监测系统实现流域准实时水资源管理，其原理示意图见图 6-1。

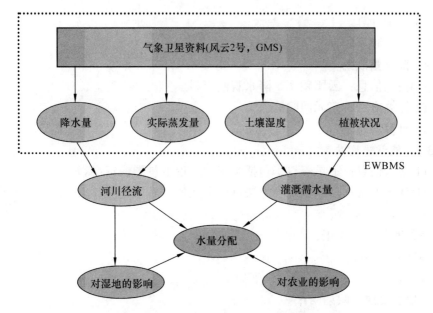

图 6-1　基于卫星的准实时流域一体化水资源管理原理示意图

其中能量和水量平衡系统(EWBMS)示意图见图 6-2。

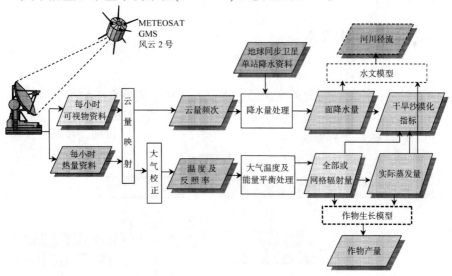

图 6-2　能量及水量平衡监测系统

6.5.1　卫星资料接收及预处理

(1)接收每小时 VIS 和 TIR 数据。

(2)选取图像及几何转换。

(3)云量计算。

(4)云量频率。

6.5.2 降水量映射

(1)输入信息：云团频率、降水观测资料。

(2)计算方法：多元回归法。

6.5.3 计算降水场

6.5.3.1 能量平衡映射

(1)输入信息：卫星资料，包括中午和午夜卫星图像资料。

(2)计算方法：降水场计算方法有以下几种：

● 内插折算系数；

● 刻度及大气校正；

● 气温映射(T_a)；

● 地表温度映射(T_0)；

● 地表反照率映射(A)；

● 计算辐射量输入

$$I_n = (1-A)\,I_{sol} - I_{ter}$$

● 显热流计算

$$H = \alpha\,(T_0 - T_a)$$

● 确定实际蒸(散)发量

$$LE = I_n - H$$

(3)计算结果验证：

● 辐射量：计算值与野外实测值，以及大气科学实验室(LAS)测量值对照；

● 显热流：计算值与大气科学实验室(LAS)测量值对照。

6.5.3.2 对作物产量的影响

对作物产量影响的评估模型示意图见图 6-3。

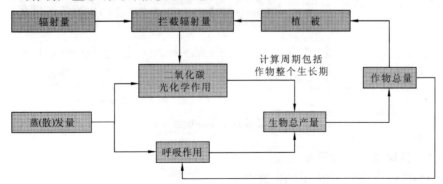

图 6-3 对作物产量影响的评估模型示意图

计算结果验证:建立普查作物产量 – 蒸(散)发总量、计算作物产量 – 蒸(散)发总量相关关系。

6.5.3.3　径流模拟

径流模型示意图见图 6-4。

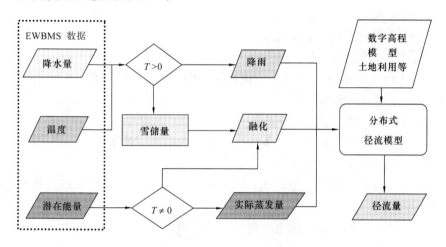

图 6-4　径流模拟方法

该报告详细介绍了利用空间采集技术进行数据采集、相关模型建立、模拟结果检验等技术,是一个比较完整的实现流域现代化管理的解决方案。

6.6　国际流域研究网

水土保持和水资源保护中心是一个指导国际流域研究的中美合作机构,该机构的任务之一是在具有较长期、合理水文资料记录的缺水地区的小流域建立一个仪器监测站网。国际流域研究网(IWRN)的初步重点是美国、中国以及其他国家的半干旱地区已经确定的小流域和研究站。

建设国际流域研究网(IWGN),需要中国、美国和其他参与方之间签订如下几方面协议:

(1)流域选择。

(2)资料采集和分发协议。

(3)承担资料采集义务。

(4)站网设计。

(5)检查协议执行情况。

(6)数据库存储和管理。

建设 IWGN 的目的是提供世界范围的水文资料,以评估和减轻泥沙的物理、化学和生物危害。因此，概括地说，其首要目标是积累可靠的、合理的流域资料，供中心的研究人员和全球的研究机构使用。

IWGN 的流域面积应在 1 000 km² 以下，每个流域的资料收集应遵照以下标准：

(1)变化观测规范。

(2)流域资料管理和汇编规范。

(3)数据存取规范。

按照 IWGN 的初步设计，将优先考虑中国与美国除土地使用以外各方面都匹配的或相近的流域。

IWGN 将针对以下问题开展研究：

(1)不同流域在天然条件或条件发生变化时的水、沙量。

(2)不同的农业活动对水沙运动的影响。

(3)在土地使用造成地面切沟出现以后，如何在半干旱地区通过恢复植被减轻土壤侵蚀。

(4)哪些土地和作物抵抗土壤侵蚀能力最强。

(5)如何改变坡度才能减少土壤侵蚀。

目前，已确定加入 IWGN 的研究流域包括中国黄土高原的安塞流域、美国亚利桑那州的 WALNUT GULCH 流域、以色列的 ESHTEMOA/YATIR 流域等。

安塞水土保持试验站年降水量为 450 mm,主要从事半干旱、地形起伏地区农业研究。观测资料包括天气、水量和泥沙等，用以研究水土保持技术。

WALNUT GULCH 流域面积 149 km²，年降水量 450 mm，研究工作始于 20 世纪 60 年代。观测资料包括流量、输沙率、天气、植被、土地使用等，通过 15 个子流域和大量观测站收集相关资料。背景资料包括地质、土壤、水文、生态等。WALNUT GULCH 河网不稳定，河流一直在冲刷松软的岩石，在由于过度放牧造成草地退化、灌木丛生的地区，切沟侵蚀非常普遍。

ESHTEMOA/YATIR 流域位于以色列中部，河流发源于内盖夫沙漠北部的希布伦山脉，面积 112 km²，年降水量 280 mm，属于半干旱地区，植被为草本植物和灌木，石灰岩地形为主，已有 10 年观测资料。

6.7 参数不确定性对新安江模型预报精度的影响

新安江模型是一个在中国、特别是在湿润和半湿润地区广泛应用的概念性降雨－径流预报模型。由于在流域模拟和建模过程中存在不确定性，例如，水文过程的随机性、水文资料的不准确性、参数的不确定性、模型结构的不确定

性，模型计算的精度也相应地受到影响。来自香港科技大学土木工程系的
Zhihua Lu 先生介绍了一种利用拉丁超立方采样法(LHS)对新安江模型不同参
数的不确定性对模型计算精度的影响进行分析的方法。

LHS 方法的一般步骤为：①分层采样；②生成随机输入量；③对模型输出
结果的特征值(性能指标)进行评估。

为了评估新安江模型的预报性能和精度，考虑了以下四个指标：

(1)年径流量误差

$$\varepsilon_{AFV} = \frac{TRO - TRC}{TRO} \times 100\%$$

式中：TRO 和 TRC 分别为实测年径流量和计算值。

(2)效率系数

$$R_h^2 = 1 - \frac{\sum\limits_{j=1}^{m}(q_{obs,j} - q_{cal,j})^2}{\sum\limits_{j=1}^{m}(q_{obs,j} - \overline{q_{obs}})^2}$$

式中：$q_{obs,j}$ 和 $q_{cal,j}$ 分别是第 j 个时间段流量的实测值和计算值；m 是时间段数。

(3)洪峰流量误差

$$\varepsilon_{QP} = \frac{Q_{po} - Q_{pc}}{Q_{po}} \times 100\%$$

式中：Q_{po} 和 Q_{pc} 分别是实测和计算的洪峰流量。

(4)洪峰时间误差

$$\varepsilon_{TP} = T_{po} - T_{pc}$$

式中：T_{po} 和 T_{pc} 分别是实测和计算的洪峰历时。

6.7.1 灵敏度分析

对年径流量误差 ε_{AFV} 来说，蒸(散)发能力与实测蒸发量的比值 K 和面平均
自由蓄水容量 SM 是具有最大灵敏度系数的两个重要参数，入流的出流系数
KI、平均毛管蓄水量 WM 和地下水退水系数 CG 的重要性相对较小，但对 ε_{AFV}
的可变性仍有较大影响，主要是因为 K 与水量的减少有关，而 SM 决定了地表
径流的数量，KI、WM 和 CG 分别影响入流、土壤含水量、地下水等。SM 在
用率定参数计算时表现出较高的灵敏度，而在用平均值计算时则得出较低的灵
敏度，说明 SM 对 ε_{AFV} 的灵敏度在参数空间中与位置有关。

R_h^2 是定量描述预报过程线与实测过程线符合程度的指标，其对 SM 和地表水
回归系数 CS 是非常灵敏的，但对其他系数不灵敏。因此，可以得出结论，与地

表水有关的模型参数对出流过程线的形状有非常重要的影响，同时也可以看出，当在参数空间不同位置取值计算时，模型参数对 R_h^2 的灵敏度系数有很大影响。

SM 和 CS 对 ε_{QP} 有最大的灵敏度系数，可以认为，洪峰流量主要是受模型中地表径流的洪水演进方法决定的。

ε_{TP} 对 CS 最为敏感，表明地表径流的演进参数在决定 ε_{TP} 的大小中起着非常重要的作用。当用不同位置的参数进行计算时，灵敏度系数有非常明显的差异，这揭示了参数的灵敏度在参数空间非惟一性。

6.7.2　不确定度分析

不确定度分析表明，SM 和 CS 是对水文过程线的形状具有决定性影响的参数，K 和 SM 是控制水量平衡误差最重要的两个参数，SM 和 CS 是控制洪峰流量误差的两个重要参数，CS 对洪峰时间的影响最大。

6.7.3　结论

通过对由于参数的不确定性引起的新安江模型的灵敏度和不确定度的定量分析表明，对于模型所选用的性能指标，最重要的参数是 K、SM 和 CS。因此，在模型率定和预报中，如欲提高模型性能指标的精度，应重点关注这三个参数。

6.8　资料选择对新安江模型径流预报的影响

新安江模型是 20 世纪 70 年代河海大学研制的一个分布式、概念性模型，其 15 个参数的率定是该模型应用的难点。芬兰 IHE 国际学院的 Pieter J.M. de Laat 先生介绍了利用自动优化算法进行模型参数率定的方法，并重点对不同时段、不同资料率定的结果进行了分析比较。

6.8.1　参数自动优化

自从 19 世纪计算机出现以来，优化算法就被广泛应用于水文模型参数率定，基于直接搜索的算法能够很好地解决单模态响应面的模型率定问题，但是实际应用中的许多需要率定参数的水文模型都是多模态响应面的非线性模型，也就是说，在参数空间上，函数取得局部极小值的位置不止一个，这就需要采用"全局搜索"的方法。GLOBE 是一个集成多个"全局搜索"算法的软件包，在利用 GLOBE 率定新安江模型 15 个参数过程中，需要不断修改这些参数的约束条件，为了保证参数取值的合理性，一般应通过缩小非敏感参数的取值范围、扩大敏感参数的取值范围的方法来实现。一旦被优化的参数接近其最大值或最小值，就在该参数的合理取值范围内移动其定义范围。因此，恰当地说，这种优化过程是一个半自动化(自动加手动)过程。

6.8.2　结论及分析

采用干旱期、湿润期的不同时段，以及不同流域划分方法的资料分别进行参数率定。模型运算结果表明：

(1)新安江模型对下面两种情况模拟效果较好：①长达 5 年的时段，不论是相对湿润时期还是干燥时期；②长达 2 年的湿润期。

(2)模型以集总形式应用时，效果较差。

(3)将子流域的划分数目从 3 个增加到 17 个，对模型性能的影响不明显。

由于该模型针对湿润地区开发，用干旱年份的资料进行率定效果不好。对照用 2 个特别干旱年和 2 个特别湿润年的资料率定的模型结果，模型确实在湿润年表现更好。然而，对一个长达 5 年的时段，干旱期和湿润期的率定结果差异却不很明显，这个结果也证实了模型开发者的率定时段最少 4 年的建议是正确的。进一步研究还发现，将流域划分为 3 个子流域与划分为 17 个子流域相比较，其结果并无明显差异，但是作为一个集总性模型来应用却导致了模型性能的严重退化。

6.9　分布式水文模型在黄河流域的发展

黄河流域实施水资源管理的首要工作是水资源评价，水资源评价的准确程度决定于水循环的可预测性。不同的土地利用、地形特点、地质和土壤情况以及人类用水(主要是农业灌溉用水)决定了流域内水文特征的复杂性。在河流流量资料不足的情况下，开发一个基于参数率定的集总模型，模拟不同子流域的水文循环是很困难的。但物理水文模型有助于解决这些问题。日本东京大学土木工程系的 Dawen Yang 先生介绍了一种通过物理控制方程，把所有可以得到的空间数据通过分布式途径应用于水文模型中的建模方法，并利用黄河流域 15 年(1979～1993 年)的气象资料，分析了水文特性和水资源的时空分布情况。同时还探讨了水资源管理和该模型未来发展的可行性。

分布式水文模型可以比较科学地描述流域级水文过程的物理现象，例如，土壤-植被-大气间的水循环、地表及河道径流、地下水等；描述流域内空间不均一性，例如，地形、地表覆盖物、土壤、植被、大气压等；并能够定量评估水资源的时空变化。

该报告从资料准备、子网格参数化、坡地径流模拟、流域划分和水流演算模型到模型参数的率定，详细介绍了建立模型的方法和过程，并介绍了对模拟的结果，包括水文模拟(河道流量、年水量平衡)、流域模式(蒸发量和土壤湿度的季节变化)、农业灌溉用水模拟进行验证的方法。

该报告对黄河流域分布式水文模型的建立具有一定的参考价值。

第7章　首届黄河国际论坛
流域调水、水权及水市场专题综述

　　2003 年 10 月 23 日下午，首届黄河国际论坛技术研讨分组会 E-1 议题在黄委机关大楼 12 楼 W1204 会议室召开。会议由刘昌明院士、Randy Barker 先生主持。先后有 8 位专家发表了精彩的演讲，其中外国专家 1 名，国内专家 7 名。约 30 位与会代表参加了本次会议。专家们就流域调水、水权及水市场制度建设等问题阐述了他们的最新研究成果，提出了许多很有价值的观点。

　　8 位专家的报告关于流域内调水的 2 篇，其中黄河调水综述 1 篇，黄河西水东济途径研究 1 篇；关于南水北调工程的 3 篇，分别是有关西线调水区的水资源情势、中线穿黄工程和黄河引水工程对南水北调工程的启示各 1 篇；关于水权研究的 2 篇，一篇直接研究黄河的水权制度，另一篇则以黄河为基础研究流域水权制度问题；关于水资源配置中的经济激励问题研究的 1 篇(见表 7-1)。

表 7-1　黄河国际论坛 E-1 分会场报告情况分类

研究方向	研究方向细目	报告人	国家		报告名称
流域调水	流域内调水	刘晓岩	中国	1	黄河水量调度的实践
		向华龙	中国	2	论黄河西水东济的最佳途径
	跨流域调水	吕偲	中国	3	黄河流域引水工程及其对南水北调的启示
		沈凤生	中国	4	南水北调中线穿黄工程
		张玫	中国	5	南水北调西线调水地区水资源特性及开发利用条件分析
水权及水市场	流域水权	马政委	中国	6	浅析黄河水权制度的建立与完善
		裴勇	中国	7	流域水权管理若干问题的探讨
	经济手段	Gevorg Nazaryan	亚美尼亚	8	水关系中的经济激励概念

　　现按研究类别综述如下。

7.1　流域内调水

　　流域内调水方面的报告有两篇，即刘晓岩的《黄河水量调度的实践》和向华龙的《论黄河西水东济的最佳途径》。前者主要介绍了黄河水量调度的实践，而后者探讨了黄河从靖远走祖渭捷径(黄河南干流)而直达潼关的新构想。

7.1.1　黄河水量调度的实践

黄委水资源管理与调度局刘晓岩处长报告的题目是"黄河水量调度的实践"。文章系统介绍了黄河实施水量调度 4 年来的实践，深入分析了存在的问题，并提出了相应的对策。

报告由 4 部分组成。

报告第一部分介绍了黄河水量统一调度实施的背景。

黄河是我国西北、华北地区最大的供水水源，以其占全国河川径流 2%的有限水资源，承担着本流域和下游引黄灌区占全国 15%的耕地面积和 12%的人口以及 50 多座大中城市的供水任务。同时，还要向流域外部分地区远距离调水，供水任务十分繁重，已远远超过其承载能力。黄河断流现象严重。

黄委根据国务院授权，从 1999 年 3 月正式实施黄河刘家峡水库至头道拐河段、小浪底(三门峡)水库至利津干流河段水量统一调度；2001 年，又实施了刘家峡水库至利津干流河段水量统一调度。

黄河水量调度是一项开创性的工作，4 年来，各方协作已经取得了连续 3 年不断流的斐然成绩，河口地区生态环境初步得到改善，黄河水量调度工作受到了中央领导的高度赞扬以及社会各界的广泛好评。

报告第二部分对水量调度实施 4 年来的情况进行了回顾。

1998 年至 1999 年度的水量调度工作从 1999 年 3 月 1 日开始，黄委正式调度黄河水量，此时利津断面正处于断流状态。调度人员在精确计算分析的基础上，确定了三门峡水库下泄流量，利津断面按预计时间于 3 月 11 日恢复过流。在此后的调度中，先后分河段召开 7 次协调会协商解决用水中的矛盾。实施全河水量统一调度后，利津断流天数为 8 天。

1999 年至 2000 年度水量调度抓住宁蒙冬季封河槽蓄水量多的极好时机，充分利用水库调蓄桃汛水源，同时加大了用水的监督力度，强化实时调度，较好协调了小浪底水库施工期的水量调度，首次实现了利津断面自 1991 年以来全年不断流的目标。

2000 年至 2001 年度水量调度通过进一步加强实时调度和监督工作，加强与流域省(区)有关单位和部门的沟通协商，保证了非汛期水量调度任务的完成。但是，进入汛期后，黄河来水形势进一步恶化，潼关水文站 7 月 22 日 8 时流量为 0.95 m³/s，濒临断流。针对这种情况，及时采取对黄河小北干流全线闭口的措施，避免了中游河段即将发生的断流。从这一年度开始，水量调度时段由原先非汛期调度调整为全年调度，实现了第二年黄河没有断流的目标。

2001 年至 2002 年度预报属特枯水年，黄委颁布试行了《黄河下游订单供水调度管理办法》和《黄河下游水量调度工作责任制》，进一步明确了各有关单位的职责，明确了奖惩措施，极大地推动了黄河水量调度工作的开展，大旱之年，实现了第三年黄河没有断流的目标。

4年来水量调度成效显著，主要表现在以下几个方面：①保证了城乡生活用水。实施水量统一调度后，居民生活用水有了保证，长期因断流困扰人们的巨大精神压力得以解脱。②合理安排了农业用水。实行了水量统一调度，充分考虑了农作物需水规律，在作物生长的关键季节，实施水量集中下泄方案，自上而下实行轮灌，使大部分农作物都得到了及时灌溉，农业生产在大旱之年仍取得了好收成。③兼顾了工业用水。4年来，黄河干流刘家峡、万家寨、三门峡、小浪底等水利枢纽发电效益明显增加；胜利油田、中原油田水源充足，工业生产得以正常进行。④按计划分配了生态用水。保持了一定的入海流量，初步扭转了黄河下游持续10年之久的断流局面，黄河入海口地区的海洋生态也得到了明显改善，断绝近10年之久的洄游刀鱼在河口地区重新出现，多年不见的鸟类也重新出现。

报告第三部分主要介绍黄河水量调度的基本原则和主要技术方法。

黄河水量调度的基本原则是总量控制、以供定需、分级管理、分级负责。即国家统一分配水量，流量断面控制，省(区)负责用水配水，重要取水口和骨干水库统一调度。各省(区)年度用水量实行同比例丰增枯减，用水量按断面进行控制，并实行年度水量分配和干流水量调度预案制度。

黄河水量调度的技术方法有：①预(方)案编制，即编制黄河干流水量调度预案和编制水量调度月、旬方案；②实时水量调度，主要是跟踪监视水情、工情、雨情、旱情、引水等情况。根据实际情况，滚动修正调度方案，进行河道和水库的实时调度；③用水监督，派出工作组对重要取水口和水利枢纽监督检查黄河水量调度计划的执行情况；④协商协调用水矛盾，多次召开协商会，通过求同存异，大家协商确定各旬的调度过程，发挥公众参与的积极性；⑤水量调度总结，主要是检验长期、中期和短期径流预报精度。进行水量调度方案执行情况对比分析、月水量调度满足程度分析、年度水量调度效益分析。

报告第四部分提出了存在的问题及对策。

存在的问题主要有：①管理体制不适应调度要求。一是黄河上游的枢纽工程和引水口分属不同省(区)、不同部门，实现有效的黄河水量统一调度困难很多；二是水调工作的业务关系尚待理顺，主管部门、对口单位有待进一步明确。②尚未建立起配套法规。没有现成的江河水量调度规范，仅有的《黄河水量调度管理办法》还没有配套的实施细则，已经运行的水电站水库调度规范和全河水量调度工作在有些方面还不协调，比如，并入电网运行的水库调度，供水期兴利部门间主次关系的确定，旱情指标的界定和抗旱调整用水量后的处理，特殊情况下从上游向下游调水的补偿等。③基础研究工作薄弱。有些问题还没有获取规律性的结论和深刻的认识。因此，在调度的过程中，对一些问题的处理显得粗放。

报告提出了相应的对策：①制定黄河管理法律、法规。针对黄河水资源管理和调度中存在的诸多问题，尽快出台《黄河法》和《黄河水资源管理条例》，使黄河水资源管理纳入法制化轨道。②建立健全各项规程和制度。结合黄河水量调度的实际情况，制定出规范化的、操作性强的、适应综合利用部门的《黄河水量调度规程》和《黄河水量调度管理办法实施细则》以及相关办法，从中规定水量调度的原则、任务、方法、外部条件和科学管理要求，统一水量调度的标准。建立健全包括值班制度、会商制度、例会制度、调度月报制度、技术档案制度在内的各项工作制度。③加强水调基础研究工作。黄河水量调度涉及一些深层次的复杂技术问题，如黄河出现水危机时的应急调度方案，骨干水库统一调度的模式，干流大型取水口统一的权威性用水计量监督手段，黄河枯水径流演进和枯水径流预报可供水量调度使用的模型，省际断面测验精度等，必须加快基础研究。

7.1.2　黄河西水东济的最佳途径

南京水利科学研究院的向华龙高级工程师报告的题目是"论黄河西水东济的最佳途径"。报告提出在实现西线南水北调的同时还需进一步完善黄河西水东济，并从多方面论证了西水东济应借渭通黄的必要性，提出了黄河从靖远走祖渭捷径(黄河南干流)而直达潼关的新构想，即把黄河自靖远到潼关段改造成为南北两条干流，认为新辟黄河南干流是西水东济的最佳途径。

报告指出治黄先驱李仪祉先生最早提出了黄河走洮渭捷径的构想。

报告分析了黄河上中游的水资源情势，认为西线南水北调的来水不宜再注入宁蒙平原及灌区，该河段巨量耗水并有大量蒸发损耗；西线调水更不宜注入河龙区间的晋陕峡谷河段，该河段位于黄河最大也最集中的沙源区，若注入晋陕峡谷河段，将加剧泥沙的危害，尤其在汛期暴雨洪水时不应再加大水量。因此，晋陕峡谷河段与小北干流河段不宜成为西线工程供水的计划对象及通道。必须为后期巨量的西线来水另外安排和营造直达潼关的捷径，相机向黄河下游送水的规划可由借渭通黄的途径来实现。

报告进一步分析了渭河的水资源情势，指出渭河已经无以为继。渭河沿途城镇水源严重不足，地下水超量采用。灌区处于缺水状态；生态用水持续匮乏已经并将继续导致渭河水环境的恶化，水污染现在已成为渭河的心腹之患。尽早为渭河提供足够的生态用水已经成为整治渭河的关键。渭河无以为继的枯竭状态急需补充水源以增大流量。黄河上游与渭河之间相距不远，实施借渭通黄工程将合理调配水资源系统功能,使西线调水走捷径进入城市密集分布的渭河流域而直达潼关,这能真正实现西线调水相机向黄河下游供水的规划宗旨。渭河干流地处暖温带半干旱半湿润大陆性气候带,输水沿途蒸发损耗程度较低。从河性来看,渭河是一条好河,具有输送大流量来水的潜质。借渭通黄在自然地理因素评价上也是合理可行的。作者认为,为缓解渭河无以为继的窘况,借渭通黄工程宜提前实施,这不仅能及早实现引黄济渭,也将为西水东调先做好准备工作。

报告指出,借渭通黄工程应当成为南水北调西线工程的配套工程。南水北调西线工程将达到的规模效益等于使黄河上游唐乃亥的年均径流量增大一倍,借渭通黄工程既改造了黄河同时也拯救了渭河,所以借渭通黄应当成为西线南水北调的配套工程而加以研究、规划、设计与实施。

报告提出的黄河走祖渭捷径的新构想是指,在兰州下游靖远的祖厉河汇入处,也就是从拟建大柳树水库的库区尾段引水进入渭河的支流葫芦河,再自流到天水市上游附近汇入渭河干流,称之为黄河南干流。黄河南干流切入了水资源奇缺的黄土高原西南部和六盘山西麓地区,十分有利于黄土高原西南部的植被营造及生态环境的改善。这也是笔者提出黄河新干流走祖渭捷径的初衷。

与黄河从刘家峡库区走洮渭捷径相比,黄河走祖渭捷径有以下优点:①工程量和施工难度都大为降低,建设成本大幅度减少,工期能明显缩短;②可以让西线调入的水流经水能富矿河段上的枢纽工程之后,再引入渭河,能发挥更多的水力发电效益;③走祖渭捷径惠及秦安、甘谷以北的甘肃定西、平凉地区和宁夏的固源地区,改善环境。

祖渭捷径应把实施全流自流输水放在首位考虑,经分析从靖远起始将具有很好的发展前景。

报告认为,黄河走祖渭捷径形成的黄河南干流比北干流缩短了一半流程,并且不经过高蒸发区和高产沙输沙区。由于大幅度缩短了原流程,整个黄河流域水资源的调控能力增大,将提高黄河全程水量科学调度能力;将满足渭河必需的生态用水要求,从而改善渭河的水质;对发展天水到潼关的航运将创造前所未有的有利条件;沿途灌区、城市生活用水及工业用水、渭河的生态用水将从根本上得到保证。

7.2 跨流域调水

跨流域调水研究方面的报告有3篇,即吕偲的《黄河流域引水工程及其对南水北调的启示》、沈凤生的《南水北调中线穿黄工程》和张玫的《南水北调西线调水地区水资源特性及开发利用条件分析》。吕偲通过研究黄河上的引水工程,认为南水北调应该吸取其教训;沈凤生则科学论述了南水北调中线穿黄工程的方案比选等重大问题；张玫对西线调水区水资源特性及开发利用条件进行了深入分析。

7.2.1　黄河流域引水工程及其对南水北调的启示

北京大学生命科学学院的吕偲报告的题目是"黄河流域引水工程及其对南水北调的启示"。报告分析了黄河流域的引水情况及存在的问题，论述了对南水北调工程建设的启示，主张慎重决策、资金保障、统筹管理。报告由 3 部分组成。

报告第一部分研究了黄河水资源的使用情况。

吕偲指出，沿黄干流的取水能力达 6 000 m³/s，水资源利用率达 53%。解决该水资源短缺的措施主要有两个：一是敦促用水户提高用水效率，节约用水，如发展高效农业，利用多种水资源(如雨水资源和污水资源)，采用高效节水技术；二是建设大规模的调水工程，如南水北调工程。

报告第二部分提出了"我们真的需要南水北调工程吗"的疑问。

该疑问包括调水是经济的吗，调水真的对人们有益吗，调水工程的真实现状如何，南水北调受益区的用水状况如何，南水北调真的需要建设如此大的规模吗，如果需要，应该从现有调水工程中吸取什么教训。

报告认真分析了黄河上 12 项大的引水工程的现行状况及存在问题。

黄河引水工程的现行状况主要表现在以下几方面：①规划目标与现实之间差距较大；②项目建设与运行投资给当地政府带来了沉重的财政负担，许多工程配套设施未能及时完成，使工程效益未能充分发挥；③很多经济和技术问题困扰着工程运行，包括项目运行时产生了经济损失，附属设施建设如交通通信设施、渠道绿化工作等滞后，调水损失和受水区浪费现象严重，技术问题和设计缺陷包括沙尘暴破坏、盐碱化、泵机磨损、泵站不配套等；④灌区农民状况并没有实现工程规划目标；⑤项目管理问题突出，包括项目分类的问题、规划设计问题、建设开始过程、管理及其他黑洞；⑥建设或运行过程中有时出现边界争端和民族冲突。

黄河流域水资源利用中出现的问题包括：①水资源缺乏有效的一体化管理；②水资源利用效率低；③用水浪费现象严重。

报告第三部分分析了黄河流域引水工程状况对南水北调工程建设的启示。

吕偲提出北方地区是否真正需要通过调水增加水供给，南水北调是否真正需要建成如此大规模需要慎重论证；如果南水北调上马，资金一定要予以保证；应建立南水北调法律体系，避免独断管理；西线应该进行更加仔细的论证；一旦决定南水北调上马，仍然有许多问题需要慎重考虑，如规划设计、统筹建设、运行和管理等。

7.2.2　南水北调中线穿黄工程

黄委设计院(前)院长沈凤生报告的题目是"南水北调中线穿黄工程"。报告介绍了南水北调中线穿黄工程规划和设计的基本情况、主要技术指标及有关重大问题的论证，从技术可行性的角度阐述渡槽方案和隧洞方案的各自技术特点与基本要求。

南水北调中线工程从长江支流汉江丹江口水库陶岔渠首闸引水，沿线开挖渠道，经唐白河流域西部过长江流域与淮河流域的分水岭方城垭口，沿黄淮海平原西部边缘，在郑州以西孤柏嘴处穿过黄河，沿京广铁路西侧北上，可基本自流到北京、天津，受水区范围 15 万 km²。从陶岔渠首闸至北京团城湖，输水总干线全长 1 267 km，其中，黄河以南 477 km，穿黄河段 10 km，黄河以北 780 km。该工程主要解决北京、天津、河北和河南等 4 省(市)京广铁路沿线的城市供水问题，改善沿线及邻近地区的生态环境。

输水干线穿黄河的工程是中线总干线上的关键性交叉建筑物。为节省工程量，只在主河槽建立交工程，在黄河滩地内的大部分区域，采用填方渠道。根据规划，穿黄位置选择了位于黄河郑州铁路桥以西约 30 km 的孤柏嘴附近的李村—陈家沟线和满沟—南平皋线两条穿黄线路。工程结构型式研究了渡槽和隧洞两种方案。

报告主要分为 3 个部分。分别论述了穿黄线路比选、穿黄工程长度确定、穿黄工程型式。

报告第一部分论述了穿黄线路的比选问题。

(1)比选原则。河势问题是关键因素。穿黄工程所处河段为典型的游荡性河段，河道宽度约 10 km，河道冲淤十分复杂。孤柏嘴河段黄河主流靠近南岸邙山，北岸为广阔的滩地，在不影响黄河行洪并保证穿黄工程本身安全的前提下，适当减小穿黄工程的长度在技术上是可行的，也是合理的。因此，要研究寻找基本不影响河势的最小穿黄工程长度。

目前，穿黄工程附近河段伊洛河口以上及孤柏嘴以下已修建或布点完成了一系列的河道整治工程，河势流路已得到了初步控制，对其下游河势起决定性控制作用。因此，为保证穿黄工程修建后不对下游河势产生显著的影响，其关键是确保驾部控导工程稳定靠溜。

(2)上线的河势特点。上线位于孤柏嘴上游约 2 km 处，各种水流条件下主流基本稳定，且与黄河的规划治导线相一致。即便考虑黄河河势变化的复杂性，工程修建后，在其下游约 2 km 的山弯的导流作用下，主流仍能得以调整，保证孤柏嘴以下河势不发生大的变化。

对上线 3.5 km 隧洞方案进行了动床模型试验，模型平面比尺为 1：600，垂直比尺为 1：60。试验结果表明，上线 3.5 km 隧洞方案，无论涨水期、洪峰期还是落水期，孤柏嘴、驾部、枣树沟等工程靠溜较好，与滩地不缩窄相比，河势未发生明显变化。

(3)下线的河势特点。下线位于孤柏嘴下游约 0.6 km 处，主流出孤柏嘴山弯后，失去山体依托，大洪水条件下，漫滩洪水汇流后顶冲挤压大河主流，使之南偏，势必加剧线路以下主流南移，给黄河河势造成大的影响。

与上线采用相同的模型和水沙条件，进行了 3 km 和 4 km 两组方案。试验成果表明，隧洞长 3 km、流量 8 500 m³/s 以上时，驾部指导工程和枣树沟工程均不靠溜，这种影响一直发展到落水后小水期；隧洞长 4 km，大河主流约 60%基本靠近驾部控导工程。

(4)隧洞方案的比选。就隧洞方案对黄河河势的影响而言，上线方案明显优于下线；就主体工程量而言，上线隧洞长度仅需 3.5 km，而下线要不小于 4 km。综合分析，上线明显优于下线。

(5)渡槽方案的比选。就穿黄渡槽对河势影响而言，两条线路比较与隧洞方案基本相同。由于渡槽槽墩影响水流结构，因此对水流流向的要求也较高。为了减少槽墩受力和冲刷，也要求槽位断面流向稳定。上线主流与槽位法向夹角为 6.4°，最大为 12°，且与规划治导线比较适应，对槽墩设计有利。下线主流与槽位法向夹角 14°，最大为 33°，对槽墩合理受力不利。

综上所述，无论是渡槽还是隧洞方案，上线要优于下线。

报告第二部分论述了穿黄工程长度的确定问题。

(1)穿黄渡槽长度。河势分析和物理模型试验表明，上线穿黄渡槽长 3.5 km。上线主流摆幅以 2 km 计，从渡槽北岸与总干渠连接段免受洪水主流直接顶冲考虑，槽长应为 2.8～4 km。河道整治中采用的穿黄河段排洪河槽宽度为 3 km。因此，推荐穿黄渡槽长度为 3.5 km。

(2)穿黄隧洞长度。穿黄隧洞与渡槽相比，除洞身段无墩台阻水外，就选取工程长度而言，两种结构型式并无本质不同，因此也推荐穿黄长度为 3.5 km。

报告第三部分论述了穿黄工程型式选择问题。

穿黄工程设计输水流量 440 m³/s，加大设计流量 500 m³/s，按一级建筑物设计。两个方案均以上线和 3.5 km 长度为基准论述。

(1)渡槽工程方案。渡槽初步推荐型式为矩形薄腹梁渡槽，采用双槽独立基础，单槽设计流量为 250 m³/s。过水断面宽 11 m，水深 5.01 m，断面平均流速 4.54 m/s。渡槽设计跨度 50 m，上部结构采用三向预应力钢筋混凝土结构。单槽基础采用 8 根 2 m 桩径的灌注桩，分两排布置，承台以上采用两个薄壁空心墩结构。桩长一般设计为 60～67 m。局部冲刷深度按水面以下 25 m 计算。

(2)隧洞工程方案。采用双洞输水布置，成洞单洞内径暂定 7.5 m，单洞设计流量为 250 m³/s，隧洞中心间距 20 m。底坡–1%。隧洞最小埋深为水面以下 25.75 m，河床最大冲刷深度为水面以下约 20 m。隧洞采用盾构法施工，设计采用双层衬砌结构，外层为 0.5 m 厚的装配式钢筋混凝土管片，内层为 0.5 m 厚的现浇钢筋混凝土衬砌。

渡槽和隧洞两个方案都是可行的，在基本同等投资条件下，渡槽方案可以节约约 6 m 水头。

报告最后指出，穿黄工程是中线工程的关键工程，应确保穿黄工程的经济安全可靠，并对黄河无重大影响。通过进一步技术、经济的比较，中线穿黄工程的设计方案将更加优化。

7.2.3　南水北调西线调水地区水资源特性及开发利用条件

黄委设计院的张玫报告的题目是"南水北调西线调水地区水资源特性及开发利用条件分析"。报告针对西线调水工程所处的特殊地理位置，对调水地区的水资源变化特性和开发利用条件进行了初步分析。

南水北调西线工程是从长江上游调水至黄河上游的大型跨流域调水工程，现阶段研究的范围是指从长江上游的通天河、雅砻江和大渡河(下称三条河)上游到毗邻的黄河上游黄河源到玛曲河段的调水工程涉及地区。该地区位于青藏高原的东部，海拔高程在 2 900 ~ 4 500 m，巴颜喀拉山自西北到东南横贯本区，构成了长江、黄河两大水系的分水岭，也形成了调水地区以山原河谷为主体的宏观地貌和明显的高原大陆性气候特征。

报告主要由两部分组成。

报告第一部分论述了南水北调西线调水地区水资源变化特性。

(1)降水量时空分布特性。降水量时空分布不均，年内降水主要集中在雨季。6 ~ 9 月期间，降水量占全年总降水量的 70%以上。高原降水天气形势稳定，调水地区降水量的年际变化不大，年降水量变差系数 C_v 值在 0.2 左右。受青藏高原地形变化的影响，空气中水汽含量和降水量发生变化，形成了调水地区降水量的分布呈由南向北、从东向西递减的趋势。

调水地区降雨强度小，但雨日多，一般每年降雨在 120 ~ 180 天，日降雨量一般在 25 mm 以下。由于调水地区气候寒冷，多年平均气温仅– 4.9 ~ 3.3℃，因此降雪日数较多，全年降雪日数在 40 天以上。

(2)径流深时空变化特性。西线调水地区径流主要来源于降水和融雪，同时也受融冰的补给。由于受西南季风和地形条件的影响，调水地区径流分布为东南多，西北少。

径流年内分配不均。6 ~ 10 月为丰水期，径流主要为降水补给，径流量约占全年径流量的 75%；11 月~次年 3 月为枯水期，降雨稀少，径流主要由地下水补给；4~5 月为丰、枯过渡期，径流主要由融雪及春雨补给。

(3)蒸发量时空变化特性。西线调水地区地处青藏高原，太阳辐射强烈，日照时间长达 2 200~2 700 h/a，地区蒸发量也较大。调水地区陆面蒸发量在巴颜喀拉山南麓长江水系，由南向北递增，北麓的黄河流域黄河源地区，陆面蒸发量呈东西向递减。

报告第二部分论述了调水地区水资源开发利用的有利条件和不利条件。

有利条件包括以下两方面。

(1)库容条件好，库区淹没损失小。

南水北调西线工程调水河流推荐的引水坝址均处于峡谷区，且河谷内耕地极少，人口大部分为游牧民，淹没移民问题简单，具有良好的修建多年调节大型水库的地形，为西线调水工程水量调蓄提供了条件。

根据引水线路方案规划，三条河推荐引水方案引水枢纽坝高为 63~292 m，相应总库容 0.6 亿~264 亿 m^3。各引水坝址的调节库容均可使引水保证率达到 96% 以上，基本满足了各种来水年份的调水要求。

自三条河的同加、长须、斜尔尕 3 个坝址引水的引水线路推荐方案，需迁移人口不到 4 000 人，其中仅大渡河斜尔尕水库有近 4 km^2 的耕地淹没损失，同加、长须两坝址库区内无耕地分布。移民安置、耕地损失赔偿问题较易解决。

(2)水资源丰富，开发潜力大。

根据三条河流域各州(县)水利区划和国民经济及社会发展 10 年规划分析，现状各流域水资源利用率仅 0.4%~1.6%，其中坝址以上地区水资源利用率更低。即使到 2030 年水平，三条河流域需水量占流域总水量的比例也仅有 0.4%~1.4%，水资源利用率很低，具有很大的开发潜力。

调水地区人烟稀少、气候湿润、水资源丰富，大部分地区尚处于原始状态，生态环境状况相对较好。西线调水后，为尽可能减少对下游的影响，水库采用维持一定下泄流量运用方式，使调水后引水坝址下游河道水量至少维持在调水前的较小水平，对下游河道用水影响不大。

就引水坝址下游河道内发电、航运、漂木等综合利用要求分析，由于调水地区位于长江上游，距离规划的航道、漂木河道和已在建梯级电站较远，调水对河道内用水不会造成大的影响。

不利条件包括以下 3 方面。

(1)地势条件不利，施工难度大。西线调水工程推荐的引水线路方案中，引水枢纽坝高在 63~292 m 之间，引水隧洞长 158~490 km，其中穿过分水岭的最长段洞长 55~89 km。

(2)封冻期长，机械效率低。黄河源地区河道封冻期长达 5 个月至 6 个月；巴颜喀拉山南麓的长江水系各河流，封冻期一般在 2.5 个月至 3 个月。另外，调水地区位于低纬度高海拔的青藏高原多年冻土区的东部边缘地带，必须加强冻土影响研究。

由于调水地区地处高原，低压缺氧，据资料统计表明，在海拔 4 000 m 以上地区，人体劳动能力比平原区下降 20%～30%，施工机械效率也会有不同程度的下降。

(3)日照时间长，蒸发损失大。西线调水地区日照丰富，三条引水河流各引水坝址均须建高坝壅水，库区水面面积较大。因此，水量蒸发损失较大。据资料分析，各推荐引水线路方案库区蒸发损失在 0.1 亿～3 亿 m³。另外，由于调水地区气压低，空气密度小，导致风压变小，水的沸点也随着海拔升高而降低，这些都是新的课题。

报告最后作者认为，南水北调西线工程是实施我国西南、西北地区水资源优化配置的重大战略工程，深入、全面地分析调水地区水资源状况及开发利用条件，并采取相应的工程措施是南水北调西线工程规划的重要内容。

7.3　流域水权

流域水权研究方面的报告共 2 篇，即马政委的《浅析黄河水权制度的建立与完善》和裴勇的《流域水权管理若干问题的探讨》。马政委在对黄河水资源权属管理现状进行分析的基础上，对黄河水权、水市场的建立与完善做了有益的探讨。裴勇则在分析我国流域水权管理现状和存在问题的基础上，探讨了建立流域水权管理的基本原则和基本制度。报告研究成果对黄河水权制度的建立具有重要的参考价值。

7.3.1　黄河水权制度的建立与完善

黄委德州黄河河务局的马政委演讲的题目是《浅析黄河水权制度的建立与完善》。报告在对黄河水资源权属管理现状进行分析的基础上，对黄河水权、水市场的建立与完善做了有益的探讨。

报告由 4 部分组成。

报告第一部分介绍了水权及水权交易的基本含义。

指出水权是指水资源的所有权、使用权和经营权，通常讲的水权是指水的使用权，是指各用水户依照法律程序和规定得到的对水进行使用和获益的权利。而水权交易是水权供求双方在水市场上进行水资源使用权、经营权的买卖活动。

报告第二部分分析了建立黄河水权制度的必要性和可行性。

随着国家西部大开发战略的逐步实施和黄河流域经济社会的进一步发展，水资源的供需矛盾将更加突出。同时，在严重缺水的情况下用水浪费同样十分严重。

在黄河水资源日益稀缺和我国市场经济体制逐步完善的今天，建立和完善黄河水权制度，明晰黄河水资源产权，实行黄河水资源有偿使用制度，利用水市场和政府宏观调控手段来实现黄河水资源的优化配置，提高水的利用效率，缓解水的供需矛盾是十分必要的。水资源产权制度的完善与改革对水资源的开发利用和保护管理具有重要作用。市场经济需要完善水资源产权，在保证国家对水资源管理宏观调控的前提下，应尽可能扩大水资源产权的流转范围。

报告第三部分分析了黄河水资源权属管理的现状及存在的主要问题。

黄河水资源权属管理的现状是，黄委是水利部授权的流域管理机构，其作为国家水资源所有权的代表，具有在所辖流域范围内管理黄河水资源的主体地位。根据《取水许可制度实施办法》和水利部的授权，黄委又制定了《黄河取水许可制度实施细则》等规范性文件，并在流域内组织开展了取水许可登记、审批、发证和年审工作。黄委按规定对管理范围内所有地表水和用于工业及城镇生活的地下水取水户换发了取水许可证。1998 年，经国务院批准，国家计委和水利部颁布了《黄河可供水量年度分配及干流水量调度方案》和《黄河水量调度管理办法》。1999 年，黄委成立了调水机构，对黄河水进行了统一调度。2002 年，黄委又制定了《黄河下游水量调度工作责任制》(试行)，保证了甘、宁、蒙、豫、鲁 5 省(区)的用水计划。

影响黄河水权制度形成和发展的主要问题有以下几方面。

(1)法制不健全。主要表现在：①法律上没有完整的水权概念；②当前黄河水管理体制不利于水权制度的建立及实施。其中，部门分割是黄河水资源管理的致命弊端，水量与水质分割管理，且管理机构重叠，政出多门；③所有权主体形同虚设，使用权的分配缺乏具体规定；④水权转让交易制度尚未建立，特别是保证水市场运行的交易规则和交易程序方面的政策法规还是空白。

(2)水价问题。主要表现在：①水价不完善。目前的水价形成机制没有考虑水的资源价值；②黄河水价低廉，也不利于水权制度的建立和水市场的形成。

(3)补偿制约机制尚未建立，用水户的合法权益难以保障，调动不起用水者的节水积极性。

(4)执法主体地位不明确，缺乏强有力的约束机制和手段。流域机构不是一级政府水行政主管部门，《水法》等现行法律法规没有明确确定流域机构的水行政执法主体地位、行政监督权和处罚权，特别是黄委下属的河南黄河河务局、山东黄河河务局等事业单位，不在政府序列，因而也没有行政机关实施水行政管理的法律地位。

(5)黄河的供水市场体制没有形成。目前，黄河水资源管理体制的主要特点是：①以行政管理为主，以确保黄河不断流为主要目的，在保证不断流的条件下进行供水；②各级用水户以政府为主体，以政府直接参与为主要形式，以发展经济、保持社会稳定为主要目标。在这种情况下，不可能建成一个供水市场，因为供求双方根本的主体都是行政部门，而不是企业或经济实体，双方注重更多的是政治目的，而不是经济利益。

报告第四部分对建立黄河水权制度提出了几点设想及对策。

(1)健全法制。一是要尽快修改《水法》、《水污染防治法》等水法规，建立统一规划、统一调配、统一发放取水许可证、统一征收水资源费、统一管理水量和水质、分级负责的黄河流域水资源管理体制，并明确划分职责和权限。二是建议尽快制定并颁发《黄河水资源管理和保护条例》，明确黄河水资源统一管理、保护和水量统一调度中迫切需要的一些规章制度与办法。主要内容包括黄河水量分配和调度责任制，干支流主要取水口和骨干水库统一调度办法，污染物入河总量控制办法等。三是建立《水资源管理法》。解决水资源时空分布与经济布局不匹配，以及水量型和水质型缺水问题。四是建议将《黄河法》的制定列入国家的近期立法计划，争取尽快出台。五是建议尽快制定并实施《黄河水资源费征收管理条例》和《黄河水资源保护费征收条例》，以调动公众的节水积极性。

(2)广泛开展水权制度理论研究，填补黄河水权管理的法律空白。建议在建立黄河水权制度的立法研究中，要重点分析研究由取水许可制度向水权管理制度推进的必要性、可行性及其对策等内容。

(3)建立科学的水价体系。建议按照黄河水资源供求形势和黄河供水成本核算，尽快提高黄河水价标准并严格执行超计划用水加价收费制度。应建立一种政府宏观调控下的市场调节机制，即国家出台指导价，沿黄各省(区)根据指导价和当地经济情况，出台市场调节价。

(4)改革引黄涵闸目前的管理体制和机制。一是对黄河供水工程应在明晰产权的基础上，使所有权与经营权相分离，建立独立的供水单位，使其能够相对独立地决定和配置水资源。二是以参股、控股的方式逐步向直接供水发展。三是国家可以授权经营，也可转让股份，实现投资主体多元化，供水企业以分红或上缴税金的方式实现所有者的权利。

(5)细化黄河水量分配方案，加强取水监督管理。建议对1987年批准的黄河可供水量分配方案进行细化，进一步明确不同河段、不同干支流以及不同用水部门的水量分配；同时研究南水北调生效后的黄河水量分配方案，建立健全黄河水量分配方案体系。另外,要下大力气加强量水设施建设,搞好用水监测,为实施水权管理奠定基础。

7.3.2　流域水权管理

黄委水资源管理与调度局裴勇高级工程师报告的题目是"流域水权管理若干问题的探讨"。报告在分析我国流域水权管理现状和存在问题的基础上,探讨了完善流域水权体系、明确流域水权主体、流域使用权的量化和流域水权分配的原则等,并从江河水量分配、调度、动态调控和年终结算、水权调整和优先顺序管理、有偿使用、水权转让和水权补偿、水资源统计等方面阐述了建立流域水权管理的基本制度。

报告就流域水资源使用权的管理进行研究和探讨,共分 4 个部分。

报告第一部分分析了流域水权管理的现状。

(1)初始水权分配方面。指出在我国初始水权分配一般分两个层次:一是以流域为单元将江河水资源的使用权分配到各行政区,跨省(区)的水量分配方案由国务院或其授权的部门批准,其他跨行政区域的水量分配方案由其共同的上级人民政府批准;二是依据水量分配方案,通过行政许可将水资源的使用权进一步分配到具体的用水户。

(2)水权转让方面。按照现行取水许可制度的规定,取水许可证不得转让。实际上是限制了取水权的转让,但出现了由政府部门出面进行协调或由双方协商,核减老用水户的许可水量,用于满足新用水户的用水需求的现象,这是目前所采取的一种变通形式。

(3)有偿使用方面。《水法》规定:对城市中直接从地下取水的单位,征收水资源费。目前,地方政府已陆续出台了水资源费征收管理办法,国家的水资源费征收管理办法尚未出台,以流域为单元统一征收水资源费还未实现,作为水资源所有者,国家的权益并没有得到保障,宏观调控水资源供求关系的作用也没有在实际管理中得到有效的体现。

报告第二部分分析了现状流域水权管理中存在的问题。

(1)使用权的界定不明确,影响了水资源的权属管理。原《水法》仅规定了对直接从江河、湖泊和地下取水的取水权,对于生态环境用水、直接利用供水工程提供水量的、水电站蓄水发电等,是否需要明确水资源的使用权和颁发许可证,并没有规定。

(2)没有建立相应的补偿机制,用水户的合法权益难以保障。水资源具有流动性和不易计量等特点,使得水资源的外部效应明显,水资源使用权所有者的合法权益很容易受到外部影响而遭到损害。解决上述问题的关键是,在建立水权制度时引入补偿机制,对权益受到损害的地区或用水户给予补偿。

(3)水权转让没有法律依据，水市场在水资源配置中的作用难以充分发挥。《水法》中没有规定允许水权转让，《取水许可制度实施办法》规定取水许可证不得转让，实际上限制了水权转让和建立水市场的前提条件。

报告第三部分提出了建立新型的流域水权管理体系的主张。

(1)完善水权体系，明确水权主体。对水资源的利用，有以下几种形式：①河道外国民经济用水。有三种基本的用水形式，即直接取水自己利用，直接取水向别人供水，自己不取水而利用供水工程提供的水量。②河道内国民经济用水，如水电站发电用水、旅游、养殖、航运等。这种用水的特点是不消耗水量，但对来水的过程和水位有特殊的要求，很多情况下需要建设水利工程对径流进行调节，并可能对其他用水户的用水产生不利影响。③生态环境用水。生态环境用水的权力主体应为国家，可授权流域管理机构行使管理职能。

(2)使用权量化要合理。对于河道外用水，可表示为一定保证率程度下的水量，随着来水的丰枯变化，可适当予以增加或核减。对于河道内用水，可采用水位或流量进行量化。

(3)使用权分配要有原则。流域水资源使用权的分配应遵循以下原则：①可持续利用的原则；②生活和生态基本用水优先保证的原则；③民主协商和公平的原则；④合理用水的原则；⑤兼顾现状用水的原则。

报告第四部分对流域水权管理制度建设进行了探讨。

作者认为，流域水权管理制度主要有以下几个方面。

(1)江河水量分配和调度制度。根据流域内国民经济的发展预测和水资源的地区分配，按照公开、公平、公正的原则进行省际间的水量分配，制订江河分水方案。流域管理机构依据江河分水方案和年度来水预测编制流域年度分水和调度预案；有关省(区)水行政主管部门根据批准的流域年度分水和调度预案编制供水计划，将供水指标层层落实到有关地区，并报流域机构审批；各级水权监督管理部门根据本地区的供水计划审批管辖范围内用水户的年度用水计划。

(2)动态调控和年终结算制度。对预案进行实时修正，动态调控，年终进行水账结算，下一年度编制预案和用水户的年度用水计划时要考虑上一年度分水的完成情况，超指标用水的，要实行加价收费并在下一年度分水指标中扣除。

(3)水权调整和优先顺序管理制度。对于省际间的分水，其水权同等重要，可按照同比例增减。对于具体的用水户，则可视其用途，采取不同的比例增减，首先要满足居民生活用水和生态环境的基本用水要求，兼顾农业、工业等其他用水户的用水需求。

(4)有偿使用制度。要根据用途和经济发展水平，制定合理的购买水权费用的标准，对于超计划或超定额用水实行累进加价。

(5)水权转让制度和水权补偿制度。应研究建立水权转让制度，规定水权转让的规则、程序和审批权限等，水权转让由买卖双方进行协商，按照国家指导价进行交易，并由水权管理部门进行审批，水权转让后，支付水权费用的义务由受让方承担。流域管理机构审批的水权转让或跨省(区)的水权转让，应由流域管理机构负责审批。对于未经同意，占用其他用水户水权的，要进行补偿。

(6)水资源统计制度。水资源统计包括年度水资源量、水质情况、用水情况、水库蓄水情况等，通过水资源统计可及时掌握水资源动态和用水动态，也是收取水资源费和水费的依据。

7.4　经济手段

水资源配置中的经济手段方面的研究报告只有 1 篇，作者是亚美尼亚共和国的 Gevorg Nazaryan 博士，他报告的题目是"水关系中的经济激励概念"。报告分析了水资源配置中的经济激励作用，提出了多种经济激励的手段，介绍了在亚美尼亚的实施情况，最后分析了这些经济手段实施的障碍。报告研究成果对黄河水资源管理工作具有重要的参考价值。

报告由 5 部分组成。现着重介绍报告第一部分，其余略。

报告第一部分论述了经济激励在水资源配置中的作用。

其作用主要表现在以下几方面：

(1)告知水用户，水具有经济价值，迫使消费者谨慎、严格和有目的地用水。

(2)为改变消费者的行为创造激励条件，激励节水措施。

(3)为减缓污染和污水处理创造激励条件，激励资源恢复措施。

(4)为促进稀缺的水资源在竞争性水资源用户之间的有效分配，确保将水资源分配到能实现其最大价值的地方。

经济激励可以用于防治污染，也可以用于自然资源的管理。其作用主要有两点：一是成本恢复，即收回提供防污服务的成本以及实施资源恢复措施的成本；二是激励作用。旨在改变消费者和生产者的行为方式，引导消费者更加节省的消费，引导生产者尽可能减少污染物的排放。

经济激励措施可以相应分为两类，即成本恢复类措施和激励作用类措施。成本恢复类措施包括管理费和用户使用费；激励作用类措施包括排污费、产品费、补贴和强制激励措施，强制激励措施包括违法罚款、债务分配、行为限制、公开曝光等。

经济激励手段主要有以下 4 种：

(1)将各种用水许可具体体现为"用水许可费"。这些费用反映所有与取水及排放相关的费用。这些费用随用水许可的具体规定而变化。

(2)"税收"代表收费，非竞争性供水商可以对消费者征税，政府依据税收政策的执行情况调节税率。

(3)处理费。在用水许可情形下由水资源管理机构代为征收，而在水管理体制运行许可情形下由调节委员会代为征收，政府确定收费水平。

(4)对违法行为进行处罚。

亚美尼亚经济激励手段的种类和目标见表 7-2。

表 7-2　亚美尼亚不同领域经济激励手法的种类和目标

序号	领域	经济激励的种类	目标
1	用水许可	用水许可费 用水许可分配费 取水费 罚金	成本回收 效率 激励 激励
2	非竞争性水资源系统	调节税 水资源系统许可费 罚金 资源使用费	成本回收，效率，激励 成本回收 激励 激励
3	家庭、工业、农民、供水商	补贴	激励
4	废水处理	废水处理费 环境容量费	激励 激励

经济激励的使用必须基于以下 4 个原则：

(1)"污染者付费"。根据"谁污染，谁支付"的原则，支付的范围直接与污染程度、污染量、污染物质的构成有关，并且还需考虑污染范围和该地区生态条件。

(2)"用户支付"。用户要为水资源的使用支付与消费量相当的费用。

(3)创建经费自给体制。收集上述相关经费应用于水资源的保护和恢复。

(4)创建财政激励机制。允许根据自然保护优先权进行分配。

报告最后分析了水资源管理过程中使用经济激励手段的障碍，其障碍包括以下 6 点：

(1)与水资源管理相关的职能被不恰当地分配到不同的权力部门，其职能相互交叉。

(2)水资源管理的法律基础不完善，不仅体现在销售环节，还体现在管理过程中。

(3)没有精确界定用水户的权利和义务，并保护他们。

(4)协调解决用水争端的机制薄弱。

(5)用水关系制度上的不完善。

(6)水资源规划中社区参与程度不够。

报告最后提出，在进行决策以改善水资源管理和水资源分配时，经济激励非常重要，但前提是国家必须具有强有力的调节机构。

第8章　首届黄河国际论坛
河道整治专题总结

　　游荡性河道整治问题是本次论坛中讨论的热点问题之一。有 60 多人到会参加，其中来自美国、加拿大、日本、荷兰、乌兹别克斯坦、中国、中国台湾等国家和地区，共有 21 位专家、学者进行了学术交流。

　　各位专家、学者详细论述了在河道整治、泥沙治理和水库调度方面的观点，代表了当前世界最先进的水平。以下对其发言的要点进行了整理。对于作者得出的结论和应用情况单独说明，总结了目前在相关学术领域的动态和未来研究课题。

　　在这些发言中，很多学者对游荡性河道的整治方向、排沙能力、冲淤特点、河道调整机理等进行了深入分析，提出了游荡性沙洲形成、迁移与洪水主流游荡间的关系，河道整治必须稳定河道、控导水流，多沙河流的淤积主要是水少沙多、水沙搭配不协调等许多有价值的成果；有的学者结合小浪底水库的运用方式等提出黄河下游河道防洪及减淤的有关对策；还有的学者就多沙河流上修建水库存在的问题，提出了多沙河流修建水库的制约因素及不同水沙条件和地形下水库的运用原则与分类。除此之外，有的学者还就浊水溪流域、湄公河流域、沂沭泗河流域等河流的相关研究成果进行了交流。专家、学者们在交流中提出了许多新的治河理念及河道治理中一些问题的解决办法，这些研究成果对黄河游荡性河道的整治均有积极的借鉴作用，有的方法甚至可以直接进行尝试。有的作者是针对黄河专门论述，有的作者是讲述其他国家或地区河道治理方面的问题，这些都为我们的工作和黄河未来的可持续发展提供了良好的建议和参考作用。有些治河观点突破传统的束缚，使我们对于黄河的治理在观念上有了更新，例如 John R. Gray 在"用泥沙淤积相似技术估算悬移质泥沙输送量的问题"的论述中所用图片显示的美国在该方面测量的先进仪器时，我们不禁要问：这些方法和仪器在黄河上应用如何？毕慈芬在"游荡性河道整治方向的探讨"一文中的论述开阔了我们的思路，她指出黄河是中华民族的发祥地，是贯穿我国北方 9 省(区)的经济大动脉，治理指标不能只是防洪、灌溉、发电，而应该最终像撒哈拉沙漠中埃及的尼罗河一样成为上下游航运的主干线，最终应该实现通航指标。王瑞德在"台湾竹水溪洪灾削减策略"一文中提出自然灾害常会自然调整，有时"零方案"

(不作为)是治河的最好方案。王兆印在"黄河游荡性特征和输沙能力"一文中，提出改变泥沙的输移动力可以通过控制小浪底下泄来实现，增加河槽的河床惯性以减小河道的改变和减小游荡性河段两堤坝间的距离以利于冲沙等思想。

众所周知，黄河是世界上最难治理的河流，而要将这条河流变害为利，继续为中华民族造福，离不开吸收、借鉴当今世界已有的先进成果和科学技术。2003 年黄委主办的"黄河国际论坛"是治黄史上的一件盛事，会上发言的各位专家、学者为黄河的治理发表了代表当今世界最先进水平的观点，为便于今后的参考应用，现将主要发言内容及技术要点整理总结如下。

8.1　河道整治

8.1.1　日本 Iwate University 的 Hajime MIWA：游荡性河道整治的问题

8.1.1.1　主要观点

作者通过试验，指出积水断面常存在于河岸在凹岸的底部和凸岸的顶部，主流在游荡性河槽内蜿蜒前进，凸岸常受到水流的冲击，河岸防护工程常在这一边出现问题。移动坝(alternate bar)向下游沿顺直河槽光滑移动或在微弯槽移动，并在下游浅滩或坝的边缘的积水池沉积。当移动坝到达凹岸的底部和凸岸的顶部的中间位置时，移动坝被固定住，即不再向下游移动，但是床沙继续沿着河床行进，并且所有断面输沙量固定。作者和 Kinoshita 博士对坝在游荡性河槽中的这种表现特征进行了研究，并且记录了临界的弯曲角度，这个临界值叫 θ_c。在临界值以上移动坝不再向下游移动。

这个结论可以用来通过游荡性河道外形上的游荡波动的波长和弯角度的测量来判断坝体会不会向下移动，水流动力对坝体的移动影响是有限的。

根据游荡性河流的试验结果，作者考虑了顺直性河流与游荡性河流的优缺点。在顺直性河流上，移动坝向下游慢慢移动，积水池和受水流冲刷的河岸在每次洪水后向下游转换，整个河岸的冲刷程度很大，全河两岸都需要防护；相反，移动坝在条件适宜的游荡性河段不再向下游移动，积水池和受水冲刷河岸位置固定，只这些地方需要工程保护，所以一般需要保护的工程在河岸的一边。而且，当游荡性河段弯曲角度接近临界值时，积水池深度也不大。这种合适的游荡性河段，保护工程的花费将是顺直性河段的一半，然而，游荡性河段的平面设计和构建要麻烦一些。

实际的河段不存在相等的游荡波动的波长和弯角度，在这种复杂的游荡性河段上，移动坝的表现和预测是困难的。在我们实验室，我们正开展一项在 Kinoshita 方法之上的小范围模型试验来确定移动坝的表现和在实际河流上的受冲刷的改变情况，在 Arakawa 河上的模型测试已进行了两年(即 2002 年和 2003 年)。

总结和未来的问题：

(1)确定游荡水流与坝的行为表现的关系极为重要。

(2)用小范围的水槽模型来模拟实际河流在日本非常有用。

(3)进一步深入的试验将在日本和其他国家的河流上进行。

8.1.1.2　结论与启示

作者通过水槽试验说明，在游荡性河段上移动坝因为水流的冲刷而向下游移动的过程中，在凹岸的底部和凸岸的顶部的中间位置的弯曲角度存在一个临界值，在临界值以上移动坝在游荡性河段不再向下游移动。这个结论可以用来判断移动坝会不会向下游移动。同时作者指出，实际的游荡性河流复杂多变，弯曲角度与游荡性河流波动变化不定，对移动坝的表现和行为预测也相当困难，为此需要进一步开展一些试验来确定这个临界值。

在黄河下游的游荡性河段上，险工、控导和护滩工程在水流稍大时常发生坦石下蛰、根石走失等险情，如不及时抢修可能发生管涌、坍塌等险情。如果我们借鉴 Hajime MIWA 的研究结果在合适的位置修筑险工、控导和护滩工程时考虑这个临界值将是有益的。但是黄河的情况多变，黄河下游 300 km 的游荡性河段的临界值的确定也将需要进一步的研究。

8.1.2　黄委黄河上中游管理局的毕慈芬：游荡性河道整治方向的探讨

8.1.2.1　主要观点

作者在黄河龙(门)潼(关)河段游荡性河道滩地地貌和形态变异受来水来沙制约的规律，以及黄河中游基岩产沙区控制土壤侵蚀可行性等研究的基础上，提出游荡性河道的整治方向。黄河的冲积河段，不论是哪种河型，均有冲有淤，或冲大于淤，或淤大于冲，或刷边滩、淤主槽、变心滩，但从总量看，宁蒙河段冲淤基本平衡或微淤，其冲淤平衡的原因是水多沙少。龙潼河段年平均淤积量为 1.3 亿 t。黄河下游年均淤积量 4 亿 t。渭河下游、北洛河下游，从长时段看是一条冲淤基本平衡或微淤的河道，其冲淤平衡是高含沙洪水形成的。

8.1.2.1.1　河道冲淤形式

根据龙潼河段和黄河下游的实测资料，大体可归纳为 4 种形式。

(1)淤滩刷槽。淤边滩，刷心滩，变主槽。此种情况发生在有一定河宽变动区的冲积河段，主要发生在汛期七八月份高含沙洪水漫滩时，能产生"揭河底"冲刷，亦即出现在多沙粗沙来源区，大水带大沙，高含沙漫滩洪水的落水期。

(2)刷滩淤槽。刷边滩，淤主槽，变心滩。此种情况主要发生在非汛期不漫滩的清水基流，或桃汛，或水库下泄清水后期。

(3)冲滩冲槽。先冲槽，使纵比降冲刷达到与侵蚀基准相适应的条件时，开始冲刷边滩，或冲槽的同时也冲边滩，此种情况发生在低含沙不漫滩的中小水洪峰时。

(4)淤滩淤槽。淤槽使平滩流量减小，水位上涨、漫滩。发生在漫滩淤积时，或边淤槽边淤滩，或滩槽同淤。此种情况前者出现在粗沙来源区的小水带大沙未漫滩的高含沙水流时，而后者出现在大水带大沙高含沙漫滩洪水涨水期。

8.1.2.1.2　河道冲淤规律

研究河床演变规律，归根结底是为了科学地解释一些特殊现象和预报各种演变流路。由于各冲积河段水少沙多，水沙异源，故能够形成高含沙漫滩洪水的相似条件。虽然河床演变十分复杂，但是，还是具有明显的相似演变规律，这一规律是由上述四种河床形态演变形式随来水来沙相似条件进行类同排列组合的结果。按照钱宁关于"河床演变是一门介于河流动力学和水文地貌学之间的边缘学科"和王化云关于"把黄河看成一个系统"的观点，定名为"冲积河段滩地微地貌旋回变形规律"。

在探讨"游荡性河段河床形态变异与不同水沙来源区洪水的关系"这一主题时，作者从 40 年各种含沙量洪水资料中精选出 29 次完整的各种含沙量漫滩洪水，把洪水含沙量作为河床形态变异的主要因素，找出不同水沙条件和前期河床形态与河床再塑造的相关关系，并通过不同洪水来源区产沙特点，把区域洪水产沙与河床形态变异联系起来，得出河床的形态变异取决于不同流域区间漫滩洪水中的总含沙量，细泥沙含量在同样流量含沙量条件下河床形态变异与河段前期形态有关的结论，分析得出河型系数 E 与形态成因数之间有很好的相关关系。

作者用图形展示出清水和粗沙来源区漫滩洪水使河型变得宽浅、游荡，而细沙来源区洪水使河型变得单一、窄深的结论。该成果说明河型变化与水沙来源区有依存关系，这与钱宁 1965 年提出的"黄河下游严重淤积主要是粗泥沙来源区的洪水所造成"的论断是一致的。实际上，粗细泥沙来源区的洪水是通过冲淤形式来影响河道形态，调整洪水位升降的。这说明黄河症结是泥沙问题。泥沙问题的关键是粗泥沙问题

8.1.2.1.3　理论的应用情况

自 20 世纪 80 年代以来，黄委黄河上中游管理局在该区开展了大规模的水土保持治理骨干工程拦沙试验示范推广工作。90 年代中期，在该区支毛沟

头进行了沙棘植物"柔性坝"拦沙试验，取得粗沙拦截产源试验的成功，现正在进行推广中。

作者通过近年来对该区支毛沟头产沙规律的试验研究，得到如下概念：基岩产沙区泥沙主要来自沟壑，沟壑中主要产自沟壑两岸的沟谷壁。而4、5、6级支毛沟头又是集中的产沙区。产沙量与沟沿线长度成正比。给出 20 km²(相当于黄河三级支沟)小流域可持续发展沟道综合治理的基本模式。

《沙棘在砒砂岩地区水土资源可持续利用中协调功能的探讨》一文提出的通过沙棘植物"柔性坝"等系统工程防止土壤侵蚀的水土保持可持续发展的综合技术，既达到了防止土壤侵蚀、就地拦沙的目的，又协调了水、土、沙等资源，最终协调了人与环境和谐相处的关系。

8.1.2.1.4　建议

游荡性河道的河势变化规律，归根结底是流域产沙量和产沙性质造成的。为此，控制黄河上中游的产沙源区的土壤侵蚀是根本的治黄方略。黄河是中华民族的发祥地，是贯穿我国北方九省(区)的经济大动脉，治理指标不能只是防洪、灌溉、发电，而应该最终像撒哈拉沙漠中埃及的尼罗河一样成为上下游航运的主干线，最终应该实现通航指标。根据黄土高原多沙粗沙区的治理速度和游荡性河道河床演变规律确定分阶段的治理目标，具体建议如下：

(1)以黄河北干流基岩产沙区和渭河、泾河中上游为重点，集中资金，限定时间，组织各种力量，首先在基岩产沙区全面推行防止土壤侵蚀的水土保持综合技术，控制基岩产沙区粗沙。结合封育、禁牧、舍饲，全面修复黄土高原生态。尽快制定《黄河法》，保证把粗沙控制在千沟万壑系统的柔性和刚性工程之中。

(2)当基岩产沙区产沙量减少到50%以下时，龙潼河段维持现状的治河方案，保证防洪、灌溉任务。黄河下游继续进行小浪底水利枢纽各量级的"人造洪峰"试验，观测清水的冲刷距离和河型变化，取得像埃及阿斯旺水利枢纽建坝初期的类似试验成果。

(3)当基岩产沙区产沙量减少到50%时，修建龙门水利枢纽，相当于黄河下游的小浪底水利枢纽，尼罗河的阿斯旺水利枢纽。对龙门—潼关河段进行调洪放淤，在一定高程留底孔放淤冲沙，控制泥沙不进入三门峡水库。在龙潼河段两岸洼地放淤。

(4)加速渭河上中游粗沙产沙区治理，兴建东庄水库，把渭河泥沙控制在产沙源地。

(5)当基岩产沙区产沙量减少到 80%时，龙门水利枢纽可以进行人造清水洪峰试验，直至河道稳定通航，再进行两岸工程治理，达到龙潼河段、黄河下游通航的最终目标。

8.1.2.1.5　启发

本文提出对游荡性河道整治方向的建议，是以埃及尼罗河和长江为榜样，经过黄土高原水土保持系统工程治理，实施封育、禁牧措施和合理的管理，达到黄河也变成一条低含沙或不含沙的河流，控制黄河水灾，充分开发黄河水利，造福子孙后代的最终目的。

黄土高原的水土保持工作是治理黄河的关键。然而，水土保持是牵扯到方方面面的工作，如何有效地扩大治理成果，杜绝"年年造林不见林"的现象再度发生，如何把泥沙拦截在产源，如何控制黄河上中游产沙源区的土壤侵蚀是根本的治黄方略。黄河的治理指标不能只是防洪、灌溉、发电，而应该最终像撒哈拉沙漠中埃及的尼罗河一样成为上下游航运的主干线，最终应该实现通航指标。

8.1.3　中国台北的王瑞德：台湾竹水溪洪灾削减策略

8.1.3.1　主要观点

在前言中，作者指出过去人们认为竹水溪可以依靠堤防约束来削减洪灾，然而 1999 年的台风(Toraji)却改变了这一看法，现在水利工程师们正尽力重建这条河流。作者在论述中突出以下三个主题：①竹水溪的历史治理情况；②台风(Toraji)的破坏和我们对灾害的理解；③为了修复这条河流所作的努力。

由竹水溪所受的泥石流灾害，作者认为自然灾害的破坏力往往是超越人的承受能力的，所以整治重建河流要深入考虑泥石流效果。防洪结构不能只提供有限的保护，在防泥石流方面也要考虑。建筑防洪工程时应考虑与自然协调，尽量不要构建新的防洪结构，对河流的所有可能的修整都要进行考虑。

对防洪的优先顺序要再分类、再布局和加强滩区的管理。指出流域管理是减少洪水灾害和蓄滞洪水的重要举措，人们可以从引水工程和滞水工程中得到好处。

扩大河槽和减轻河槽阻塞以增加排泄能力比建筑新的防洪结构要重要。

如果建筑人工结构并不是那么必要，那么尽量设计接近自然的结构。

8.1.3.2　结论与启示

作者认为自然灾害常会自然调整，有时"零方案"(不作为)是治河的最好方案。有潜在泥石流的河流的设计洪水要仔细计算，实际沙流是水流的 1.4

倍。合适的治河顺序为避洪、减少洪峰流量、分洪、滞洪和排洪。在流域综合管理方案中应统一考虑林业、水土保持和水资源等管理机构的责任。将来的视点为建造一条安全、自然和多功能的河流，包括在防御洪水方面能做得最好，给人们一个能休闲的地方，恢复初始流路。

　　作者在对竹水溪所受泥石流的破坏反思后，提醒我们在建造防洪工程时要多考虑一些因素，比如泥石流灾害的防治措施等。从台湾竹水溪的治理过程来看，1917～1926 年剪断竹水溪冲积扇上的支流形成今天的形状，虽然河道顺直了，治理方便了，但是却潜在着泥石流的灾害。作者提出自然灾害常会自然调整，如果人为做了大的改动，改变了自然界的平衡，就会遭到自然界的报复，即我们要尊重自然规律，否则就要受到大自然的惩罚。由此我们想到黄河，自清咸丰五年(1855 年)黄河在河南兰阳(今兰考)铜瓦厢决口，改道北流，夺大清河入海后，行河已有 140 多年。由于黄河下游的逐年淤积，现已发展为严重的"二级悬河"，因此有人提议要对黄河进行人工改道。从王瑞德所述的观点来看，这种办法未必可行。例如，河口地区，为了保持东营市和胜利油田的发展，他们迫切要求黄河的现行流路要继续保持下去。如果黄河突然改道了，则对于当地的经济发展和生态环境的影响与破坏都是极大的。又如，新中国成立初期，确定了"蓄水拦沙"、"梯级开发"方案，相继兴建了三门峡水库及花园口、位山、泺口、王旺庄拦河枢纽工程和东平湖水库。由于当时对自然规律和泥沙问题认识不足，三门峡水库运用后库区严重淤积，危及关中平原，影响西安，后被迫改变运用方式，由"蓄水拦沙"改为"滞洪排沙"，破除了花园口、位山拦河坝，恢复原河道泄洪、泺口、王旺庄枢纽也相继停建下马。这几项工程的反复，给国家造成一定的人力、物力损失，是水利建设上极为深刻的教训。这教训同竹水溪的教训一样，是让人们要尊重自然规律，按自然规律办事。

8.1.4　武汉大学的韦直林：黄河革新策略初步研究

8.1.4.1　主要观点

　　首先，作者列出几个要点，即用水库控制洪水；逐步控制水库的运用规则，从泄洪向蓄洪转变；高效控制洪水后束窄河道并将滩区居民从产业区中分开；中游革新目标是减少主河槽的沙量和在支流上修建大中型水库来拦沙。

8.1.4.1.1　水库调节与拦蓄

　　(1)水库调节是关键。革新要上中下游同时进行，对创造利润和减小灾害要同样重视，对水、泥沙和土壤要充分利用。在主河道和支流上修建水库以避免下游的洪水灾害，同时充分利用洪水，河道要变窄。中游的革新重点是，要修建大中型水库和在支流上修建高含沙水库,优化进入下游的水沙速度以使同样多的水能搬运更多的泥沙。认真制定河口治理规划和加强河口水流控制。

(2)水库拦蓄。对于黄河革新,最明显的目标是下游防洪方面的革新。黄河下游洪水没有得到完全控制,尤其是"后继洪峰"型的洪水。

河床条件恶化,革新变得更加困难。因此,运用水库拦蓄洪水变得非常重要。故水库的运用有以下优点:①实际的水库库容可以蓄积多年洪水;②在水库调度中,使用"数字技术"将使防洪变得更容易。

8.1.4.1.2　洪水的充分利用

我们国家缺水,北方是缺水严重的地方。1972 年以后,黄河下游出现了断流,水头位置移到上游并且干旱时间延长,这说明下游水资源短缺很严重。在这种情形下,对水的需求就越来越大,同时非汛期的可调节水量也越来越少。一个可改变这种状况的方法是,增加水库的库容来蓄积汛期洪水,并有效利用洪水。

8.1.4.1.3　水库调度

下游河道恶化在加剧,即河床在抬升,过流断面在减小,过流能力严重降低,主河槽的淤积在增加,"二级悬河"形势严峻。

黄河来沙量多少与河宽有关;如果上游洪水不能控制,下游主槽宽度越大,泄洪能力也就越大;滩区、分滞洪区的利用问题,这些都是造成下游河道恶化的原因。

因此,作者建议:进行水库调度,使下游河槽变窄变深。

(1)上游和中游的水库调度是高效的和成功的,这是进行水库调度的前提。

(2)进行水库调度,使下游河槽变窄变深是大范围实现革新的举措。

(3)进行水库调度的重要措施是,从河流中划清滩区的界限,以便解决防洪和滩区居民搬迁的问题。

(4)通过充分利用下游蓄滞洪区和滩区,上中游修建水库的损失将会得到双倍补偿。

8.1.4.1.4　加强中游河段的革新

水库运用最大的障碍是泥沙问题。黄河水沙异源,泥沙主要来自中游的黄土高原,所以,我们在中游区的革新重点是减少进入黄河的沙量。

在高含沙洪水的支流上构建大中型水库,是切断进入黄河的泥沙的关键。

之所以提倡建设拦河坝而不是水库,其原因如下:

(1)很多情况下,水库没有可蓄的水量。

(2)修建和管理拦河坝很简单，费用也很低。

(3)拦河坝只是临时起作用的建筑，蓄水以后居民可以重新返回，并且泥沙的淤积使河流的比降降低，本地的冲刷可以降低。

(4)有利于泥沙问题的解决。

(5)拦河坝的设置和泄水对主河流有明显的优势。

8.1.4.1.5　合理整治

(1)效果和问题。中游的治理显见成效，进入水库的泥沙明显减少。为了充分利用水资源，水库的调节方式必须从放泄洪水转变为拦蓄洪水。中游水利枢纽工程的减淤工作变得更加困难。

(2)建议。在水库调节期间，用人工干预的方式充分利用泥沙输运。例如，泄水泄沙时，在水库的合适地方进行爆破可以增加含沙量。

8.1.4.2　结论与启示

当水库调节实现以后，河口区的来水来沙条件将会有很大的改变。水量和沙量将会大幅减少，洪峰的出现将会更加稀少。河口的治理规划也要重新考虑，即采取措施保证入海流路的稳定和减慢向大海的延伸；考虑使用泥沙来造陆和限制河口冲刷。最后，作者强调，在所有这些策略中，最重要的是水库调节，水库调节作为上中下游革新的关键，将会取得最大效益。

作者在"黄河革新策略初步研究"分析中指出，水库调度和调节是各种措施的关键。由于黄河流域是水资源短缺的流域，因此水库运用方式要从现在的放泄洪水向拦蓄洪水转变。洪水被高效控制在水库以后，下游河道要束窄河槽，以水冲沙，刷深河槽和降低水位，即下游的河道整治工程要与水库的运用相结合，利用有利的水沙条件冲刷河槽。为了进一步解决滩区、蓄滞洪区的问题，作者建议把居民从产业区中分离开来，确定滩地的明确界限。

中游革新目标是减少主河槽的沙量和在支流上修建大中型水库来拦沙。

8.1.5　黄河水利科学研究院的姚文艺：黄河下游窄河段挖河减淤的理论研究与实践

8.1.5.1　主要观点

为解决黄河下游河道淤积日趋加重的问题，在黄河下游水资源日趋紧张情况下，《黄河治理开发规划纲要》提出以挖河作为处理河道泥沙的重要措施。

挖河减淤效果用挖沙减淤比表示，即

$$\beta = \frac{W_{Sd}}{W_{Sd} + W_S - W_S'}$$

式中：W_S 和 W_S' 分别为挖河前、后研究河段的淤积量；W_{Sd} 为挖沙量。

挖沙后的能量方程为

$$J_S^{-1}\frac{\mathrm{d}J_S}{\mathrm{d}x}+(\frac{\gamma_S-\gamma}{\gamma})\frac{\mathrm{d}S_v}{\mathrm{d}x}=0$$

式中：J_S 为挖河比降；x 为距离；γ 和 γ_S 分别为清、浑水容重；S_v 为体积含沙量。

假定挖河的比降正好接近于平衡状态下的阈值，则可推得挖河要素之间的耦合关系：

$$J_S=\frac{q^2}{C^2}(\frac{\xi^2 L}{W_{Sd}})$$

式中：J_S 为挖河比降；q 为单宽流量；C 为谢才系数；ξ 为挖河横断面宽深比；L 为挖河长度；W_{Sd} 为挖河方量。

由上式可知，在一定条件下，为使挖河后回淤量最少且使河床比降尽快达到输沙平衡状态，各挖河要素之间显然存在着严格的制约关系。

研究挖河减淤效果影响因素作用，开展了实体模型试验。实体模型按河工动床泥沙模型的相似条件设计，模型变率为 9，水平比尺为 500，垂直比尺为 55，含沙量比尺为 3.5，河床变形时间比尺为 40，模拟范围为利津至清 7 断面，原型长约 85 km。

挖河后与挖河前河道输沙能力的比值为

$$K_G=\frac{Q_n S_{*n}}{Q_0 S_{*0}}=\eta_Q \eta_S$$

式中：η_S 为水流挟沙力之比；η_Q 为过流能力比。

黄河下游窄河段，水流挟沙力符合表达形式

$$S_*=KV^\alpha$$

$$K_G=(\frac{V_{nc}}{V_{0c}})^{3.27}[\frac{1-b+ba^{5/3}}{(1-b+ba)^{2/3}}]$$

式中：$a=H_n/H_0$、$b=B_n/B_0$ 分别为相对挖槽深度与宽度，H_n 和 B_n 分别为挖河深和宽度，H_0 和 B_0 分别为挖河前的断面深度与宽度。不难看出，式中右侧第一项表征挖河后断面平均流速变化对河道输沙能力的影响；第二项表征挖河后河道过水面积和挖槽断面形态对河道输沙能力的影响。

水沙条件对减淤效果的影响

$$\frac{\mathrm{d}\lambda}{\mathrm{d}Q}=-24\frac{H_n\beta_S}{Q^{1.3}}$$

式中：β_S 为来沙系数，kg·s/m^6。

可见，流量增加，回淤比随流量的 1.3 次幂减小。

黄河下游窄河段挖河固堤启动工程的开挖河段为垦利朱家屋子至清 6 断面，开挖断面宽 200 m，平均挖深约 2.5 m，开挖长度为 11 km，挖方量为 532 万 m^3。为增加减淤效果，在清 6 断面以下 13.4 km 的范围内进行了疏通，开挖断面宽 20 m，挖方量 16 万 m^3。挖河启动工程始于 1997 年 11 月 23 日，完工于 1998 年 6 月 2 日。1998 年 6 月 6 日过流。

8.1.5.2　结论与启示

1965 年试验成功地运用吸泥船抽吸黄河泥沙淤背固堤的施工方法，是下游治黄的一项重大发明创造，具有投资少、省劳力、见效快、不挖良田等优点。从本文可以看出，挖河长度、横断面形态、挖沙量及开挖纵比降是影响挖河减淤效果的主要因素，这些因素之间存在着严格的制约关系。为了提高挖河减淤效果，要尽量减少挖河段的回淤量，使含沙量的沿程衰减率尽量降低。应力求在回淤量不是太大的条件下，使挖河的比降能尽快达到上式所要求的平衡状态，这就要求必须选择恰当的挖河比降。河长度较短时回淤比就相对大，但太长时，回淤比减小幅度并不是太大；冲刷比也并非挖河长度越长而越大。当挖河长度较合适时，可以提高河道的溯源冲刷作用，并减少开挖段的回淤程度。就所选取的挖槽长度试验方案而言，开挖长度在 10 ~ 15 km 之间较为合适。通过黄河下游挖河模型试验及挖河固堤工程实践表明，只要挖河参数设计合理，是可以收到一定的减淤效果的。

8.1.6　河南黄河河务局的张柏山：黄河下游游荡性河道整治方向

8.1.6.1　主要观点

作者通过分析研究认为，在今后的水沙条件下，可以通过河道整治工程改变边界条件，使黄河下游白鹤至高村河段游荡性河道转化为比较稳定的限制性弯曲性河道。

游荡性河道的特性为"宽、浅、散、乱"，河身宽浅，沙洲棋布。游荡性河道的河相系数一般在 20 ~ 40 之间，到了弯曲性河段，就降低到 6 以下，有的达到 2。主槽摆动是游荡性河道的另一主要特征。但随着河道整治工程的修建，摆动范围逐渐减小。河身顺直，曲折系数小。黄河游荡性河道弯曲系数为 1.0 ~ 1.26，长江上荆江河段为 1.7，下荆江河段为 2.84，美国的密西西比河为 1.67。

关于河道整治方略，作者指出新中国成立前，我国著名水利专家李仪祉的治河方略也是"固定中水河槽"，河床固定了，才可刷深。新中国成立以后的河道整治方略为：三门峡水库运用初期，计划在下游修建 10 个梯级工程。

每个枢纽壅水成湖，湖与湖用渠相通，从平面上看是一湖一渠的图形，故取名"湖渠化治理"。

随着三门峡水库运用方式的改变，大量泥沙下泄，已兴建的花园口和位山枢纽上游发生严重淤积，被迫于 1963 年破坝，在建的八里庄和王旺庄两处枢纽也停工。

在对国内外 74 条河流研究后作者得出结论：江心洲河型是比弯曲性河更为稳定的一种河型，多沙河流修建水库后整治弯曲性河道困难，利用卡口方案可以把黄河整治为江心洲河道。

徐福龄在 1986 年《人民黄河》第四期上发表了"两种基本流路，两套工程控制"的文章。他认为，白鹤至九堡河段经过整治后游荡范围的缩小，实际上是经过两种基本流路的整治取得的。因此，可以利用自然和人工卡口作为节点，在节点之间把两条流路加以控制，进一步限制游荡范围。这种方式人称"麻花型"治理。

为此，1986 年，《人民黄河》展开了"黄河下游游荡性河道整治意见讨论"，同时刊登了徐福龄、胡一三、郭体英、赵业安等人的文章。郭体英在"中水整治，小湾控制"一文中指出："黄河下游游荡性河道是可以被整治为相对稳定的河道的。"胡一三发表"微弯型治理"文章，认为游荡性河段整治成微弯性河道是可能的。1986 年，钱宁在《人民黄河》第五期上撰文指出："游荡性河流可因加强两岸的约束而逐渐向更好的河型转化。""我们相信，河南境内的游荡性河道是完全可以改造得和山东境内的弯曲性河道一样的"。

黄河游荡性河道成因及转化在双方矛盾中进行。当抗冲力大于冲刷力时，游荡性河道就转化为稳定的河道。因此，人们可以通过水土保持、修建水库等措施，改变来水来沙条件而使游荡性河道转化；亦可在水沙条件大体不变的情况下，通过修建河道整治工程来加固边界，提高抗冲能力，使游荡性河道转化。

改变水沙及边界条件，促使游荡性河道河型转化。

(1)在模型试验方面。黄河下游研究组在 1958～1959 年期间，曾进行过水库下泄清水以后游荡性河道平面形态变化的研究，结论为，在发生冲刷的试验段上段江心洲显著减少，河流有向弯曲趋势发展。

(2)在工程实践方面。长江自丹江口水库到汉口长 603 km，丹江口至皇庄 223 km 为游荡性河道，皇庄至汉口 380 km 为蜿蜒河道。丹江口水库于 1959 年建成，经 1960～1967 年滞洪运用、1968～1988 年蓄水运用，丹皇段从游荡性河道转化为分汊形河道，皇汉段从蜿蜒河道变为微弯河型。

(3)在古河道变迁中的河型转化方面。澳大利亚的马兰比吉河，从航空照片上，可以清楚地看到一条古代的游荡性河流的残迹。据考证，在形成游荡性河流时的气候干旱，虽然年径流量较小，但由于植被差，洪峰流量和产沙量都要大得多。以后气候转为湿润，遍长了大量林木，年径流量有所增加，而产沙量却大幅度减小，其结果从游荡性河型转化为弯曲性河型。

(4)在小浪底水库为游荡性河道整治提供了有利时机方面。由于下游河道来沙量小，故减淤效益明显。洪峰调平，中水流量持续时间延长，有利于河道向弯曲性河道发展。弯曲性河道是最稳定的河道。

(5)在模型试验方面。有控导工程时游荡性河道河型转化试验。按照黄河下游整治规划布置控导工程，观察河型转化情况。试验结果表明，游荡性河道通过整治，只要工程布局合理，最后可转化为限制性弯曲性河道。

另外，彭瑞善试验所得出的结论是：黄河下游游荡性河道可以通过修建控导工程来控制河势。

黄科院 2002～2003 年在郑州北郊大模型上进行的白鹤至高村河段游荡性河道整治方案实体模型检验也表明，根据新的水沙条件，按照黄委最新研究制定的规划治导线布置工程，黄河下游游荡性河道可以整治为流路单一稳定的微弯(弯曲)性河道。

(6)在整治实践方面。在高村以上的游荡性河段，目前，白鹤至神堤、新店集至高村河段的河势得到初步控制。京广桥至东坝头河段，20 世纪 60 年代开展河道整治以前，主流摆动范围平均为 4.33 km；60 年代初，三门峡水库开始运用，河槽刷深，主流摆动范围骤减到 3.21 km；1964～1973 年，水库滞洪排沙运用，主流摆动范围为 3.01 km；70 年代以后，随着河道工程的修建，主流摆动范围逐渐减小；到 90 年代末仅为 1.90 km。

8.1.6.2　结论与启示

通过以上分析，可以得出：河道整治工程对减小河道摆动强度，促使河道由游荡向弯曲方向发展的作用是显著的。高村至陶城铺过渡性河道的整治经验，以及白鹤镇至高村河段游荡性河道的河道整治实践表明，河道整治工程增加了滩岸的抗冲性，加强了河槽两岸的约束，起到了控导河势作用和抗冲护滩护岸的作用，从而减小了河道的游荡摆动程度，稳定了河势流路。在小浪底下泄有利水沙条件下，若能利用现有的河道整治工程，并补充必要的河道整治措施，可以改变河道的游荡摆动特性，游荡性河段完全有可能逐步转化为像高村至陶城铺河段那样的限制性弯曲性河道。

8.1.7　黄河水利科学研究院的齐璞：黄河下游游荡性河道治理方向

8.1.7.1　主要观点

对黄河下游河道治理的展望，20 世纪 50 年代，作者就曾提出"正本清源"的治黄方略。然而，几十年的治黄实践说明，黄河不可能清，也没有必要清。不可能清是因为对水土保持的长期性、复杂性、艰巨性有充分的认识，没有必要清是因为黄河下游河道存在着很强的输沙能力。

8.1.7.1.1　对黄河而言，治理下游河道与治理中游河道同等重要，都应是治本

随着上中游地区的治理、干支流水库的兴建，黄河的来沙量可能减少到 6 亿～8 亿 t，黄河仍是多沙河流，仍要解决输沙入海的问题。因此，通过水库群的泥沙多年调节，充分利用经过改造后的下游窄深归顺河道输送高含沙洪水入海。要达到此目地，平滩流量应保持在 6 000～8 000 m^3/s。

随着黄河水沙条件的变化，黄河下游河道将变成一条洪枯流量相差较大的河流。一般年份流量很小，只能维持环境用水，丰水年洪水期将输送高含沙洪水入海，呈现出与现状不同的演变规律。黄河的水沙资源都得到充分的利用，下游河道将形成高滩、深槽、稳定的新黄河。

当前，下游防洪中存在以下严重问题：

(1)如 1996 年汛前，黄河下游河道的平滩流量不足 3 000 m^3/s，在 8 月份发生流量 7 860 m^3/s，花园口水文站的洪水位达 94.73 m，创历史最高，高滩上水，造成 300 多万亩滩地受淹，受灾人口达 100 多万，比 1958 年发生的洪峰流量 22 300 m^3/s 时水位还高。

(2)1998 年，花园口发生 4 700 m^3/s 洪水，滩区淹没耕地 3.67 万 hm^2，受灾人口 38 万。

(3)2002 年 7 月，小浪底水库调水调沙期高村以下流量 1 800 m^3/s 开始漫滩，濮阳滩区受淹，形成明显的"小水大灾"。

(4)面对目前黄河下游的情况，若不采取有效措施，类似的灾情还会发生。

造成"二级悬河"的原因很多，主要是以下两方面：

(1)漫滩洪水在滩面上的淤积横比降为 1/2 000，滩唇高堤根洼，仍为"槽高滩低"的格局。近年来，随着不利水沙条件的出现，小水挟沙所占比例增加，河槽淤积加重，"二级悬河"在某些河段仍在发展。

(2)游荡性河道小水挟沙过多、不利水沙条件没有根本改变之前，在游荡河段兴建了大量的控导工程，控制了主流的摆动范围，是造成"二级悬河"的根本原因。

面对黄河水沙条件的不利变化及下游出现的严重问题，在特殊情况下形成的三门峡水库"蓄清排浑"泥沙年调节的运用方式，受库区条件限制不能对黄河水沙进行大幅度调节。因此，无法解决目前下游河道出现的问题。要想解决"小水大灾"和缓解断流问题，应与小浪底水库调水调沙运用相结合。

作者展示了 1970、1971、1973、1977 年 4 场高含沙洪水平均含沙量沿程

变化、黄河下游纵横剖面沿程变化，认为含沙量增加到 300 kg/m³ 时，会更有利于输送，最大输送含沙量应在 800 kg/m³ 以内。含沙量 200 kg/m³ 左右输送最困难。

综上所述，目前，山东河道流量在 2 000~3 000 m³/s，不仅可以输送实测含沙量小于 200 kg/m³ 的洪水，而且含沙量增加到 400 ~ 500 kg/m³ 时，会更有利于输送。最大输送含沙量可控制在 800 kg/m³ 以内。

作者在讲述高含沙水流形成问题时指出：在水库泄空过程中，随着主槽的冲刷、河床高程的降低，地下水压力的降低，土体荷重也随之增加，随之土体内发生超孔隙水压力，引发土体向主槽坍塌。水库的合理运用→蓄水拦沙→速降泄空冲刷→利用洪水输沙是多沙河流调沙的主要模式。当库区淤积物抗冲性较强时，溯源冲刷纵剖面调整又具有自动调整的特性，使冲刷以"局部跌坎"的形式向上游发展，使水流能量的消散集中。加强冲刷能力，主槽冲深，滩槽差增大，促使淤土向主槽内滑塌，为高含沙水流形成创造有利条件。

进一步整治黄河下游游荡性河道需要解决以下问题：

(1)整治工程设计要能有效地控导河势，使规划流路稳定得到保证，防止出现"一弯变，弯弯变"的现象。

(2)控制清水冲刷以防滩地坍塌。

(3)要提高河道的输沙能力。

(4)本着有利于防洪排沙、确保安全的原则规划流路，布置整治工程。

8.1.7.1.2　小浪底水库运用改变了进入下游的来水来沙，为下游游荡性河道的进一步整治提供了可能性

(1)在小浪底水库投入运用后，黄河下游大洪水出现几率大大降低。

(2)小浪底水库投入运用也使进入下游的水沙条件发生较大变化。初期 4 ~ 5 年内将下泄清水，只有在大洪水时才有排沙机会，小水挟沙过多对下游河槽造成严重淤积问题在今后基本上不会出现。

(3)目前，在"二级悬河"普遍存在的情况下，因平滩流量太小而造成的"小水大灾"的不利局面，可以得到根本性改变。

8.1.7.1.3　游荡性河道河型转化条件及河势变化规律

(1)河型转化条件。河型的不同是多因素综合的结果，是河流演变、输沙特性的集中反映。河道的输沙特性与演变特性间存在着密切的联系，其原因是它们都受河槽形态的控制。

只有具有窄深河槽后才能演变成弯曲性河流。游荡性河流比降陡，无法形成稳定河槽，因此不可能发展成弯曲性河流。

(2)河势变化机理。游荡性河道河槽极为宽浅,河槽对水流的约束作用弱,因此在洪水期改道时,河槽总是顺直的,且沿着最大比降方向流动,这就是洪水期河势趋直的原因所在。

8.1.7.1.4 游荡性河道整治必须双岸同时进行

目前的一岸整治方案,在控制游荡范围、归顺河势方面起到了很大的作用。但在小浪底水库投入运用后,下游高村以上河道将在较长时期内处于不淤状态。根据三门峡水库下泄清水的经验,对小浪底水库运用方式的研究,高村以上游荡性河道将发生强烈冲刷……河道整治的主要任务是进一步控导河势,稳定流路,减轻防洪压力,减少塌滩。

洪水在冲积河床中流过,随着洪峰的上涨,不仅水位上升,而且河床也在不断刷深,使得河道的过流能力迅速增加。高含沙洪水如此,低含沙洪水也是如此。河床刷深水深增加对过洪能力的影响往往大于水位抬升的影响,甚至由于河床剧烈的刷深,使得洪水位反而大幅度降低。

作者指出:下古街附近河势已开始摆动,应抓紧进行双岸整治,赵口至九堡河段无法利用的工程不再利用。

8.1.7.1.5 进一步整治对下游河道冲淤的影响

以往研究结果表明:黄河下游游荡性宽浅河道的形成,使其河道比降陡、河槽极为宽浅以致无法约束水流是其不稳定的根本原因。形成与固定中水河槽是治河的主攻目标。按目前规划的整治形式,宽浅河道整治后,河宽虽有所减少,但仍属宽浅河道。但河流的调整,往往使得流速沿程变化不明显,没有因比降的变缓而使水流的流速降低,而是始终保持某一固定的数值,甚至沿程增大,与河道比降的变化规律相反。其调整的机制主要是通过河宽的变化来调整水深值,从而保持流速始终处于较高的数值。

游荡性河道进一步整治后,将形成更加有利于输水排沙的新河槽,河道呈"多来多排"状态,单位输沙用水量与小浪底水库的出库水量相近。因此,与现状情况相比,输送到利津站的含沙量会更高,单位输沙用水量也将进一步减小,最小可减至 4.7 m^3/t,用含沙量 200 kg/m^3 的洪水输沙入海。

8.1.7.2 结论与启示

首先,通过小浪底水库运用改变进入下游的水沙搭配;两岸同时整治,在小浪底水库下泄清水冲刷期,可控制滩地坍塌、河槽展宽,使冲刷向纵深方向发展,有利于使河槽过流能力迅速增大。为水库泥沙多年调节及排沙期利用洪水集中排沙入海创造条件,使近期作用与远期整治效果紧密结合。形成窄深、归顺、稳定的窄槽宽滩,窄槽用于控导河势,排泄一般洪水输沙入海，宽滩用于滞洪滞沙，对付大洪水。为了节省投资，应尽量利用已有的整治工程。

8.1.8 黄河水利科学研究院的王万战：黄河口的拦沙坝是不是需要移除

8.1.8.1 主要观点

作者通过 20 世纪 80 年代、90 年代入海口水沙量的减少趋势、含沙量的沿程分布，指出 1981~1985 年淤积的泥沙比后来几年要多。

拦沙坝之所以高是因为它是在 1984 年在 H03 到 H04 断面间的坝嘴上形成的，H06 断面以上不受潮流的影响。

H03 断面以上的传输速率比 H04 断面要大，这意味着拦沙坝对含沙量沿海向分布没有影响。同时指出，拦沙坝对坝上 5.5 km 内的水沙量有影响。

与 1989 年的类似之处还有，在 S05 断面与 S04 断面之间存在流速、含沙量和泥沙速率的最大值，一般在坝嘴上游 2.8~5.3 km 的地方，这意味着在坝嘴以上 2.8~5.3 km 的地方坝对水流和沙流有阻碍作用。

在 1993 年也发现类似的结果，并且最大的中心在断面的谿点，特别是比降大的断面的谿点。

作者指出，拦沙坝的存在，导致了水流和含沙量最大点的存在，在中水情况下黄河输运的中等流量与沙量在河口拦沙坝前 3~5 km 的地方形成水沙的集中点，而大水的情况却在拦沙坝以上 12 km 左右。这种现象在其他河流的三角洲也特别普遍，最为重要的一点是，拦沙坝以上由于黄河冲积河槽的自我调节形成坝嘴以上的低谷地区，还有必要进一步研究。

8.1.8.2 结论与启示

河口拦沙坝造成入海流路的变化，使入海河槽越来越宽。拦沙坝对上游河段泥沙的输运效果取决于来水来沙条件。当来水来沙较大时，如 1981~1985 年系列，拦沙坝对水流有较大的阻碍作用，回水可达 15 km；中水年份，如 1992 年和 1993 年，拦沙坝前回水可达 5 km；当来水来沙较小时，如 1987 年和 2001 年，拦沙坝对水流几乎没有阻碍作用。由此可见，黄河口的沙坝是不是需要移除要看来水来沙情况。

8.2 泥沙治理

8.2.1 清华大学的王兆印：黄河游荡性特征和输沙能力

8.2.1.1 主要观点

作者先对黄河进行了总体介绍，指出黄河下游是游荡性河流，游荡性河流具有不稳定的河槽，泥沙淤积多，断面过流、过沙能力不固定。黄河下游的表现为经常改道和河槽的摆动不定。世界上有很多游荡性河流，如中国雅鲁藏布江的下游和孟加拉国的布拉马普特拉河。恒河连续的迁徙形成许多河口和三角洲,它与中国的雅鲁藏布江一样都是在 200 年前形成的,并造成了现在的河口三角洲。

改道一词是由 Allen 于 1965 年定义的,是指河流从一个旧河道部分地或全部地分开。改道是河流淤积的必然结果,所以河床时常淤积得很严重。作者用黄河孙口水文站 1933～1936 年、1964 年、1985 年、2002 年的断面情况,指出自 1855 年现状黄河形成以来,河道开始淤积。虽然下游黄河受大堤约束,但河槽始终因为水流的高速冲刷和淤积而不停地变化着。

作者对泥沙输移能力进行了重要描述:泥沙输移能力是指水流单位时间从河流断面单位长度的地方输运沙量的多少;泥沙输移能力受不稳定水流冲刷和淤积作用及输沙能力的影响。泥沙输运能力是指水流搬运泥沙通过断面的能力,而泥沙输移能力是反映水流改变河槽形状和位置的重要方面。在稳定流中,泥沙输运能力可能很大,但泥沙输移能力却为零。

作者建议把河槽和河槽中含沙水流作为一个移动的整体来看待,河床的改变是整体的运用,称为河流运动。河流运动的形式有沉积、冲刷、扩宽、搬运、弯曲、游荡、改道和从一个河槽向另一河槽的迁徙等。河流运动速度取决于水流的挟沙能力,挟沙能力越大,河槽移动速度就越快。

泥沙输移能力公式为

$$R_s = \frac{V_{scour} + V_{dep}}{LT}$$

式中:R_s 是泥沙输移能力;V_{scour} 和 V_{dep} 是泥沙体积;T 为时间(多种情况下为一年);L 为河流断面上测量的长度。

通常,游荡性被认为在一边河岸冲刷和在另一边河岸淤积,反之亦然。

游荡速度由以下公式来反映

$$U = \frac{R_s}{2H}$$

式中:U 为河流运动速度;H 为河槽深度。

河流的运动是往复的,因为运动是在大堤约束之内进行的,并且运动由水流的波动而引起,而水流的波动是往复的,所以在泥沙输移能力和水流波动之间必有关系。流量是一个随机过程,并被表达为平均流量与波动流量之和:

$$Q(t) = Q_m + Q'(t)$$

流量的均方差为

$$Q_{rms} = \left[\frac{1}{T}\int_0^T (Q(t)-Q_m)^2\,\mathrm{d}t\right]^{1/2} = \left[\frac{1}{T}\int_0^T Q'(t)^2\,\mathrm{d}t\right]^{1/2}$$

式中：T 为测量时间；Q_{rms} 是流量的波动密度。

　　流量的波动密度等于或稍大于平均流量，证明了水流的不稳定性。作者以郑州花园口水文站年际流量变化情况为例，认为黄河下游泥沙输运能力的测量也是流量波动的表现。

　　泥沙输移能力与流量波动之间的试验关系如下

$$R_s = k\sqrt{Q_{rms}}$$

　　常数 k=80(ms)0.5/year (在黄河是这个数，在其他河流可能不同)。

　　大断面一年测一到两次，河流的往复运动变化频率可能要比测量的频率大，在泥沙输移能力的公式中应该引入一个反映河道运动频率的系数。河流流量的波动与紊流中流速的波动一样，只是频率不同，用 Taylor 逼近和平衡分析可以得出。一年一次的断面测量估算泥沙输移能力需要引入一个校正因子：

$$k = \left(\int_0^{1.5} G(f)\,\mathrm{d}f\right)^{-1}$$

8.2.1.2　结论与启示

　　作者通过深入的分析和公式化的表述，说明影响游荡性河道输沙能力的因素，并用公式描述它与流速及水深的关系，以及与流量波动的关系。从中可以看出，泥沙输移能力与流速及水深成正比，与流量波动的平方根成正比。所以，要提高泥沙输移能力，可以通过三个途径来实现，即提高流速、刷深河槽和提高流量波动。这些改变都可能通过控制小浪底下泄过程来实现。河流运动的速度不仅与不稳定水流有关，而且还与河床及河岸的物质组成有关，并被称为河床惯性。如果河床质易被移动，或者表现为低的河床惯性，则当洪水发生时河床很快改变以适应水流的变化。相反，如果河床惯性很大，则流量即使改变得很大也不会迅速冲刷或淤积河床。由此可见，增加河槽的河床惯性，对于控制河势和实现从游荡性向弯曲性过渡有重要作用。同时如果减小游荡性河段两堤坝间的距离，则水流的流速将增加，也便于冲刷。这一点也即古人所说的"束水攻沙"。清康熙时代的治河名人陈潢就曾应用这一理论修筑"夹堤"，被当时的权贵们讥笑为"妖人行妖术"。然而事实证明，当堤距减小时，流速势必增大，因此水流的挟沙能力也增大，即泥沙的输移能力增大了。1932 年曾在德国瓦痕湖水工试验场进行过缩窄堤距能否刷深河槽降低水位的模型试验，提出固定中水位河槽的主张。

8.2.2　黄河水利委员会的龙毓骞：黄河下游冲淤特点与减淤问题

8.2.2.1　主要观点

8.2.2.1.1　黄河水沙总趋势是减少的

统计资料显示，1960 年以前黄河年平均径流量为 470 亿 m³，年沙量为 16 亿 t，从 1950 年以来黄河水沙量总的趋势是减少的。分析其原因有以下几点：

(1)气候变化及人类活动是导致水沙量减少的原因之一。

(2)1960～1996 年水量减少到多年平均值的 30.6%，沙量减少到 26.7%，水量的减少要多一些。

(3)汛期进入三门峡的径流量从 60%减少到 40%。

(4)中常洪水的发生几率减小。同样，洪峰也减小，但是含沙量却增大。

8.2.2.1.2　下游泥沙现状

(1)淤积量。不包括河段顶头和河口入海段，从 1952~1999 年的 48 年间，黄河下游的总淤积量为 64.4 亿 m³。

(2)从 1961～1964 年三门峡蓄水运用到 1965～1973 年的防洪运用，水库的淤积量从 44.43 亿 m³减小到 11.73 亿 m³，而下游的淤积量从–21.2 亿 m³增加到 28.61 亿 m³；1974～1985 年的"蓄清排浑"运用使水库淤积量减为–0.08 亿 m³(即有所冲刷)，下游河道的淤积量减为 2.88 亿 m³，但是 1986～1999 年，同样是"蓄清排浑"运用的三门峡水库淤积却增加到 12.65 亿 m³，下游河道淤积增加到 23.45 亿 m³。

(3)三门峡水库自 1961 年运用以来，进入下游的水沙量总的趋势是减少的。

(4)淤积量的年际变化。1960～1964 年冲刷程度比较大，1980～1984 年也有较小冲刷，但是冲刷程度没有 1960～1964 年大，这是因为 1960～1964 年三门峡下泄清水冲刷河槽，而 1980～1984 年的冲刷是属于丰水年份。1986～2000 年和 1965～1980 年是两个大的淤积时间段，但是由于来水来沙总体是减小的，所以 1986～2000 年比 1965～1980 年总体淤积要小。

8.2.2.1.3　三门峡水库运用前后的淤积状况

50 年代，三门峡水库运用之前，年均淤积量为 2.74 亿 m³。

1961～1964 年，三门峡水库运用期间，水库库容减少很快，但黄河下游河道出现了冲刷。

1965～1973 年，三门峡开始防洪蓄水，下游的淤积速度为 3.05 亿 m³/a。

1974～1980 年，重新对水沙进行合理调节，三门峡库区淤积程度相对降低，下游河道的年均淤积量为 1.52 亿 m³。

1981～1985 年，来水来沙条件都比较有利，三门峡水库和下游河道出现了冲刷现象。

1986～1999 年是连续的枯水年份，水库明显地以 0.65 亿～1.01 亿 m³/a 的速度淤积，在下游河道的主河槽上以平均 1.48 亿～1.95 亿 m³/a 的速度淤积。

总之，水库和下游河道的主河槽都出现萎缩，河道的输沙能力严重降低。

(1)淤积的横向分布。总的来说，81%的淤积发生在主河槽上(深槽、坝或低滩)，将近 71%的淤积发生在深槽。

(2)淤积的纵向分布。1973~1975 年上游离小浪底水库近的地方比远的地方淤积严重，1974～1985 年离小浪底水库最近的河道比中间的河道淤积程度要大，有些地方还出现冲刷，中间比离小浪底水库远的地方淤积严重，1986～1999 年淤积水平分布与 1965～1973 年差不多，但是淤积程度要小。主槽和滩地淤积的水平分布大致是滩地淤积所占比例比主槽小的地方多，滩地和主槽淤积分布大致平行分布，离小浪底水库近的地方比远的地方淤积严重。

(3)弯曲性河段和游荡性河段的主槽累积抬升情况。总体上两种类型的河段都在抬升，但是游荡性河段在抬升的过程中波动比弯典性河段要严重。

通过以上分析，作者得出以下结论：

(1)下游的淤积和冲刷在很大程度上取决于来水来沙以及流量和含沙量的比例。从作者统计的每年的水沙比的变化过程可以看出，有三个时间段水沙比比较大。另外，作者给出了含沙量与流量的冲淤平衡关系曲线。图中，作者以流量为横轴，以含沙量为纵轴，画出不同冲淤点的流量与含沙量，用一条光滑的曲线定出流量与含沙量的冲淤平衡曲线。平衡曲线以上部分为淤积式的水沙搭配比例，平衡曲线以下部分为冲刷式的水沙搭配比例。

(2)发生在夹河滩水文站到孙口水文站之间的游荡性河段和过渡性河段的严重淤积导致了"二级悬河"的产生。为了说明这一结论，作者给出了下游部分河段的断面特征点数据(如平均主槽河底高程、坝脚高程、滩唇高程和背河地面高程)的沿程分布，形象地说明了主槽比背河地面要高的关系。

(3)三门峡和小浪底水库的运用方式对减少下游河道的淤积起着重要的作用。从三门峡水库在不同流量级进出沙的关系，三门峡水库粗沙、细沙和总沙的淤积情况可以看出，三门峡总体上是淤积粗沙排泄细沙。

(4)从黄河大量地引水减少了用于泥沙输运的水量，一个粗略的估算结果是：每年从黄河引水 100 亿 m³，相应引沙 1 亿 t，则将产生 0.2 亿～0.4 亿 t 的泥沙淤积。

8.2.2.2 结论与启示

作者通过翔实的数据、丰富的图表向我们展示了黄河下游河道的冲淤过程，分析其变化规律，提出下游河道的冲淤很大程度上取决于来水来沙的情况和水沙搭配的比例；另外，运用三门峡、小浪底水库的联合调度方式，调节进入下游的水沙量和水沙搭配比例，是改变下游河道冲刷现状的重要措施。可以预言，在黄河下游冲淤问题上，三门峡、小浪底、陆浑、故县等水库的联合运用调水调沙将是重要课题。同时可以得到以下结论：

(1)为了减轻黄河下游的淤积，有必要减少进入黄河的沙量。同时，应尽量使径流量的减少控制在一定范围内，以便有足够的水来进行泥沙的输运。

(2)三门峡水库和小浪底水库联合运用来控制水沙是改善水沙搭配比例的重要步骤，如果在整个黄河流域范围内接受这个观点，将是很有益的。

(3)当前防御洪水灾害，维持主槽足够的排洪能力和采用一些措施来淤积滩地是很重要的。

(4)黄河的水资源有限，应当避免过度利用黄河水资源。相当数量的径流应当在水库中蓄起来以便用于泥沙的输运，同时对生态环境及黄河本身都有重要意义。

8.2.3 美国地质调查局的 John R. Gray：用泥沙淤积相似技术估算悬移质泥沙输送量的问题

8.2.3.1 主要观点

美国地质调查局(USGS)介绍美国当前的流动泥沙测量情况，包括传统的水库淤沙测量、大桥冲刷和河槽冲刷及污染河流泥沙等方面，大坝的拆移和报废、河势恢复、地形分类与组织管理、物理生成过程、美国环保局的法律要求等。通过对以上不同阶段悬移质泥沙监测技术的需求分析，提出如何使现有的悬移质泥沙测量更精确、更经济、更安全和测量更多属性等方面的问题。

发言人展示了美国联邦泥沙引样器及其执行标准、悬移质泥沙取样器取样的范围、美国地理在线监测悬移质泥沙的站网分布情况。可以看出，使用这种取样器的站点达 3 100 个，作者用图片展示了美国地理监测悬移质泥沙数据库，包括每日的悬沙数据和辅助数据。图片显示取样生成过程图(如含沙量、流量过程)与实际过程的不同。作者从这些站网中选取一些小的子集进行深入的泥沙分析与研究，并介绍分析的仪器装置和方法。在介绍之前作者对美国地质调查局(USGS)的监测研究程序进行了展示，指出 USGS 泥沙测量的优势之一在于流速、含沙量、粒径分布等测量，其他方面的优势在于碎石、河床质、河底地形等方面的测量、分析与计算技术等。

作者建议悬移质泥沙测量的数据质量标准分别为 50%的实际含沙量值小于 10 mg/L, 25% ~ 50%的计算直线含沙量在 10 ~ 100 mg/L 之间, 15% ~ 25%的计算直线含沙量在 100 ~ 1 000 mg/L 之间。15%的实际含沙量值大于 1 000 mg/L。

作者介绍了美国当前使用相似技术测量悬移质技术参数的几种仪器, 仪器分为以下几类:

(1)基于大体积光学系统的(光亮的变化和散射)。图片展示 1999 年 4 月在美国圣弗朗西斯科的海湾使用该类型仪器进行测量的情形, 又用图表显示科罗拉多河上的采样数据的回归曲线及圣弗朗西斯科的海湾数据图, 最后用图片显示美国频率无线悬移质含沙量估测仪在亚利桑那州科罗拉多大峡谷的大小河流的野外测量情况。可以看到仪器在无人值守的地方用无线电波瞄准待测河段。

(2)声音返回系统(如声纳类的超声波返回)。图片展示用多普勒声学效应估测悬移质输沙量的成果。从图形的显示来看, 使用多普勒声学效应估测的悬移质含沙量与实际值非常接近。

(3)激光衍射系统。图片展示了该类仪器的外形和野外作业情形。数据图表显示使用该仪器与传统取沙量测量的不同, 从图中可以看出, 使用激光衍射器估测的数据多且集中, 传统的取样器所测结果零散地分布在激光衍射器估测数据附近。该图明显直观地显示出使用该仪器可以得到更多、更准的数据。数据密集程度是传统测法的几十倍。最后作者用图片展示了这种衍射器的实体照片, 左边注明该仪器有可以灵活控制、内置发动机、等动力、两根连接线、可选内置电池、重量轻和可轻微拖拉等特点。

(4)数码成像技术。介绍图形显示数码成像及放大倍比。

(5)压差式感应器。图片展示压差式感应器的实体照片, 可以看到压差式感应器有两个喷水口。作者用亚利桑那州的一个照片显示这种双孔喷水口感应器的应用情况。

最后作者以表格形式分析以上各种仪器在测量范围、适用情况、可靠程度和价格等方面的不同。

8.2.3.2 结论与启示

通过比较可以看出, 价格比较昂贵的要数激光衍射器, 为 5 ~ 25 k$, 较便宜的要数大体积光学系统类; 可信赖程度比较高的要数多普勒感应系统和压差感应类, 可信度比较差的要数光学感应类; 最常用的也是光学系统类; 声学返回式和压差感应式不常用, 激光衍射类和数码成像类的使用情况还有待确定。

通过作者的介绍，我们对国际上使用泥沙淤积相似技术估算悬沙输沙量技术的现状有一个总的认识，如何使悬移质输沙率测量得更精确、更经济；测量范围是一个值得研究的问题。然而，美国地质调查局(USGS)的当前成果在黄河上的应用情况还有待研究。

8.3　水库运用

8.3.1　黄河水利科学研究院的侯素珍：水库运用原则

8.3.1.1　主要观点

8.3.1.1.1　水库泥沙问题分类

河道泥沙状况的描述指标有含沙量、输沙量、来沙系数等。作者指出：黄河干流 S/Q (含沙量流量比) 在 0.01 kg·s/m^{6}附近；黄河支流 S/Q 在 0.1 ~ 0.15 kg·s/m^{6}附近。

高含沙河流首先是多沙河流，而且有足够的细泥沙($d<0.01$ mm，大于 70 kg/m^3。水库泥沙问题与入库沙量、库容大小有关。

8.3.1.1.2　典型水库的运用特点

介绍库沙比的概念：

$$V/W_S=k$$

式中：V 为水库库容；W_S 为平均沙量。

当 $k>100$ 时，可不考虑泥沙问题；当 $k\leqslant100$ 时，必须进行泥沙淤积计算。

当 $k>50$ 时，不严重；当 $k=10~50$ 时，较严重；当 $k<10$ 时，十分严重。

●刘家峡水库(Liujiaxia reservoir)。$k=85$，1968 年蓄水运用，排沙形式主要是异重流(1972 年汛后)，形成拦门沙坎并逐年上升，干流异重流受阻，只有洮河的来沙被排出库外。洮河口的拦门沙坎是影响电站运行的主要问题，为了保证电站安全运行，在 1981、1984、1985 年和 1988 年，利用来水流量大，降低库水位冲刷拦门沙坎即不定期泄水冲刷，取得了较好效果。

●青铜峡水库(Qingtongxia reservoir)。$k=3.8$，1967 ~ 1971 年为高水位蓄水运用，库容损失率为 89.6%。1972 年起为非汛期蓄水、汛期降低水位排沙运用，到 1976 年库区仅淤积 0.116 亿 m^3。由于汛期敞泄排沙浪费了大量水资源，而水库的淤积主要在沙峰期，因此 1977 年以后改为蓄水运用，沙峰期降低水位排沙。

●三门峡水库(Sanmenxia reservoir)。1960 年 9 月开始蓄水运用。由于原设计对来沙量和淤积的问题估计不足，蓄水运用初期，库区泥沙淤积严重。

为了解决这些问题，三门峡水库先后进行了两次改建和三次运用方式的调整：①1960 年 9 月~1962 年 3 月，水库改为蓄水拦沙运用，小北干流、渭河和北洛河下游都发生严重淤积。②1962 年 3 月，水库改为滞洪排沙运用，库区淤积有所缓和，但因水库泄流排沙设施不足，水库淤积仍很严重。③1973 年 12 月，水库改为蓄清排浑运用，在来沙少的非汛期适当蓄水，进行防凌、灌溉、发电；来沙多的汛期降低水位防洪排沙，库区累计淤积大幅度减小，基本达到冲淤平衡。

●巴家嘴水库(Bajiazui reservoir)。该水库位于多泥沙河流蒲河流域，早期拦沙运用模式和泄流能力较低，造成水库逐年淤积。为了大坝安全，进行了两次加高坝体，增高 16 m，库容增加。巴家嘴水库经历了 3 种运用方式、两次运用阶段。

蓄水拦沙期间库区均发生淤积；泄空排沙运用期，第一阶段受泄流能力的影响，排沙比仍较小，第二阶段泄空排沙比达 174%；1977 年以后为蓄清排浑运用。

8.3.1.1.3　水库运用原则

(1)蓄水运用。当库沙比 $k > 100$ 时，采用蓄水运用；当库沙比 k 略小于 100 时，采取蓄水运用。但水库存在一定的泥沙问题，在水库运用过程中，根据汛期进库水沙过程，适时利用异重流排沙，减少水库淤积。

(2)敞泄运用。敞泄排沙是在一定阶段采用的运用方式。多沙河流的水库，洪水期来沙集中时敞泄，可将入库泥沙排出库外；库区淤积严重的水库，及时敞泄运用或洪水时敞泄，可以改善库区条件；库沙比 $k < 10$、泥沙问题严重的水库，采取低水位运用。

(3)蓄清排浑运用方式。基本上是非汛期蓄水，淤积在库区的泥沙靠汛期洪水冲刷带出库外，以达到年内冲淤平衡。

水库具备的两个基本条件：一是有富余输沙能力，二是有长期可用库容。

●三门峡水库。为了减少库区淤积和控制潼关高程，非汛期运用水位在下调，运用方案在不断改进和完善。

●青铜峡水库。采用非汛期蓄水运用、沙峰期排沙，在较大洪水时降低水位排沙。

●巴家嘴水库。如果在洪水期敞泄排沙，以控制入库含沙量时间，基本上可以保持水库的不淤。

蓄清排浑运用的内涵是比较丰富的，也是多样的，必须依据各方面条件制订出符合水库实际情况的运用方案。

(4)蓄洪排沙运用。从水库的实际运用看，滞洪排沙运用一是以防洪为目的，滞蓄部分洪水。对泥沙问题严重的水库不应提倡滞洪运用，那样会加重库区泥沙的淤积。二是由于泄流能力不足，产生自然滞洪，被迫采取滞洪运用。

●东北柳河闹德海水库(1942 年)。为防御洪水，修建后采取滞洪运用，1970年以后改为蓄清排浑运用。

●三门峡水库在 1962 年至 1973 年为滞洪排沙运用。

●巴家嘴水库因淤积严重也曾经两次采取滞洪排沙运用。

8.3.1.2　结论与启示

蓄清排浑调水调沙运用，实际上是各种运用方式的综合反映，可以根据各水库的具体情况，采取不同的运用方案。对存在泥沙问题的水库，适时蓄水运用、敞泄或降低水位冲刷，既能充分利用水资源，又能保持水库长期使用库容，发挥水库的综合效益，是多沙河流水库值得推荐的运用方式。

8.3.2　黄河水利委员会的李文家：小浪底水库建成后黄河下游防洪形势和急需采取的对策分析

8.3.2.1　主要观点

8.3.2.1.1　小浪底运用后下游河道的主要问题

作者认为，虽然目前小浪底水库已建成投入运用，下游稀遇洪水已得到有效控制，河床淤积在一定时期得到缓解，但由于黄河下游泥沙问题长时期内难以根本解决，下游堤防质量差，河势变化大，防洪形势仍很严峻，主要问题有如下几方面：

(1)泥沙问题在相当长的时期内难以根本解决，历史上形成的"地上悬河"局面将长期存在。

1950 ~ 1998 年下游河道淤积泥沙 92 亿 t，与 20 世纪 50 年代相比，河床普遍抬高 2 ~ 4 m。目前，河床高出背河地面 4 ~ 6 m，局部河段高出 10 m以上。

1996 年 8 月，花园口水文站洪峰流量 7 600 m^3/s，高于 1958 年 22 300 m^3/s流量的水位。要控制下游河道不淤积抬高，水土保持是根本措施，但需要长期不懈的艰苦奋斗才能达到显著的效果。小浪底水库拦调洪水泥沙见效快，但有时效性，"悬河"局面将长期存在。

(2)小浪底至花园口区间洪水尚未得到控制，对下游防洪威胁仍然较大。无工程控制区百年一遇设计洪水洪峰流量为 12 900 m^3/s，考虑该区间以上来水经 4 座水库联合调节运用后，花园口百年一遇洪峰流量仍达 15 700 m^3/s，且预见期短，对堤防仍有较大威胁。

(3)堤防质量差，隐患多，断面不足，仍有溃决的可能。

黄河下游两岸大堤堤身多为沙质土，填筑质量差。现行堤防历史决口口门达390多处，抢险堵口留有大量的秸料、砖石料等，基础条件复杂；獾狐、鼠类等洞穴隐患多，不易发现。

(4)高村以上河段河道整治工程不完善，主流游荡多变，中常洪水仍有"冲决"堤防的可能。高村以上宽河段299 km，河道整治难度大，河势游荡很剧烈，常形成"横河"、"斜河"及"滚河"，主流直冲大堤，严重危及堤防安全。

根据三门峡水库的运用经验，小浪底水库运用初期下泄相对清水期间，下游河床将冲刷下切，现有河道整治工程对下泄清水会有一个逐步适应的过程，工程出现险情的可能性将增加。

(5)东平湖滞洪区围坝质量差，退水不畅，安全建设遗留问题较多。

(6)黄河下游滩区安全设施少、标准低。黄河下游滩区面积3 956 km^2，人口173万。现有村台、避水台面积小，且高度严重不够(1996年8月花园口仅发生7 600 m^3/s洪水，下游滩区严重受灾人口达107万)，交通道路少，不能满足就地避洪和撤退转移的需要。

(7)防洪非工程措施不适应防汛抢险要求。水文测报设施、设备陈旧老化，数量不足，洪水预报预警系统建设滞后、预报精度低、预见期短；防汛抢险交通运输条件差，机动抢险队伍数量少，防汛决策指挥系统自动化水平低等。

8.3.2.1.2　当前下游防洪急需采取的主要措施

在小浪底水库拦沙减淤期内(2020年以前)，堤防高度可以基本满足设防要求，堤防漫决的可能性不大。今后一定时期内，要抓住小浪底水库运用初期下泄相对清水冲刷下游河道的有利时机，重点进行堤防加固和河道整治。

(1)大力开展放淤固堤。为了消除堤身质量差、裂缝、狐獾洞穴、堤基渗水、老口门等隐患，需要对沁河口以下黄河下游堤防全面加固。

放淤固堤是黄河下游的一项创举，也是黄河下游堤防加固的重要法宝，具有许多其他加固方案无法比拟的作用：一是可以显著提高堤防的整体稳定性；二是放淤体为防汛抢险提供场地、料源等；三是从河道中挖取泥沙，有疏浚减淤作用；四是淤区顶部营造的生态林有利于改善生态环境；五是长期实施放淤固堤，淤筑"相对地下河"，可逐步实现黄河长治久安。

因此，将放淤固堤作为防洪治理的战略措施，凡具备放淤固堤条件的堤段全部采用放淤固堤进行加固。

(2)加强游荡性河段的河道整治。河道整治是控制下游河势、防止堤防冲决的重要工程手段。针对高村以上河段河势游荡多变的不利情况，急需大力加强该河段的河道整治力度，尽快完成布点工程及续建工程的配套完善，以增强对小浪底水库下泄相对清水的适应性，使河势向有利方向转化。同时，进一步完善高村以下河势变化较大的局部河段，并根据小浪底水库运用后下游河道冲刷情况，对现有工程及时补抛根石。

(3)抓紧进行东平湖滞洪区除险加固工作。其主要措施为：①围坝截渗墙防渗加固；②疏通北排和南排通道；③老湖区修建村台，新湖区修建撤退道路；④加强滩区安全建设。

滩区安全建设的基本原则：一是外迁，距堤 1 km 以内的采取移民建镇的政策，将群众搬迁至滩区以外居住；二是就地避洪，对距堤 1 km 以外的群众采用就地修筑村台避洪；三是临时撤离，在封丘倒灌区修建撤退道路，以便于遇大洪水时群众临时撤离。

(4)尽快兴建河口村水库。沁河是小浪底水库以下无控制区洪水的主要来源区之一。河口村水库建成后可削减洪峰，大大减轻沁河下游的洪水威胁，一般可以削减花园口洪峰流量 1 200 ~ 2 200 m^3/s。

建立小浪底至花园口区间气象雷达预报系统，延长洪水预见期，做好洪水的预报调度、通信、决策支持系统、机动抢险队建设，为保证防洪决策迅速、准确提供依据，为迅速控制险情提供支撑。

8.3.2.2　结论与启示

黄河水少沙多、洪水含沙量大的特点决定了黄河下游防洪具有特殊的复杂性和长期性。当前需要紧紧抓住小浪底水库拦沙减淤的有利时机，大力开展放淤固堤和河道整治，为黄河下游防洪安全奠定坚实的物质基础。

黄河是世界上最难治理的河流，自 2001 年小浪底建成并开始运用以来，黄河下游的水沙条件得到明显改变，下游河道已成冲刷状态，但是能否就可以认为"小浪底水库一定天下"了呢？很显然，是不行的，正如作者分析的那样：小浪底水库拦调洪水泥沙见效快，但有时效性，悬河局面仍将长期存在；还有小浪底至花园口区间洪水尚未得到控制，对下游防洪威胁仍然较大。因此，黄河下游应该利用当前的有利时机，加大河道整治力度，并对小浪底水库运用所带来的一系列问题展开讨论。由于黄河下游河道的逐年淤积萎缩，中常洪水漫滩几率增大，所以生产堤的破除与堵复、漫滩洪水对滩区居民的影响等方面都要进行详细论证。

8.3.3　黄河水利科学研究院的姜乃迁：三门峡运用方式与潼关高程问题探讨

8.3.3.1　主要观点

三门峡是第一座以防洪为主要目的的大型综合水利枢纽工程，于 1960 年开始蓄水运用。在介绍潼关水文站的位置及其高程的意义时，作者指出，潼关水文站位于三门峡水库上游 113.5 km 处，是渭河洪水进入黄河的入口站，也是三门峡水库的把口站。潼关高程的变化(即潼关 6 断面在 1 000 m^3/s 时的水位)与黄河、渭河下游断面冲淤关系密切，特别是对渭河下游的防洪有着重要的影响。

　　从潼关历年的高程变化情况可以看出，由于严重的淤积，潼关高程升高得很快。为了解决这一问题，三门峡水库经历了三个阶段的运用，即蓄水拦沙、蓄洪排沙和"蓄清排浑"。经过两次重建，淤积问题基本得到解决，1973年汛末，潼关高程降到326.64 m。在显示了三门峡水库"蓄清排浑"运用后水库的冲淤情况和潼关高程的变化情况后，作者指出，在非汛期，为了防凌、灌溉和发电，三门峡水位要升高；在汛期，三门峡水位要下降以利于排沙。

　　主要的淤积在潼关到大坝河段间是向下发展的，潼关以下河段在非汛期没有改变滞水淤积的影响。在连续的丰水年份，潼关高程有一个下降的趋势；而在连续的枯水年份，潼关高程又有一个上升的趋势。汛期来水越多则潼关高程下降得越厉害，非汛期淤积的泥沙和汛期的泥沙的输运主要靠降低大坝水位和洪水波的动力作用，但是水库能否达到冲淤平衡取决于三门峡运用模式下的水沙搭配比例。在1974~1985年，三门峡的非汛期运用水位比较高，潼关高程上升很高，然而，因为汛期来水也很大，造成潼关断面的大量冲刷，因此潼关高程在这段时期能保持平衡。1986年以后，最高运用水位减小了很多，潼关高程的升高不大。然而，由于来水量的迅速减小，使潼关汛期冲刷导致的高程降低的幅度小于非汛期淤积导致的高程升高的幅度，潼关高程总的趋势是升高的。

　　很显然，来水动力条件的减弱是潼关高程近期上升的主要原因。这表明当前三门峡水库的运用方式已与新的来水来沙条件不相适应了。根据目前汛期的水动力条件，要制止由于水库运用方式导致的淤积，则非汛期最高运用水位不能超过316~318 m。三门峡水库汛期运用方式是汛期水位为305 m，流量大于2 500 m³/s时，敞开闸门无控制下泄。近期由于洪水发生的机遇减少了，敞开所有闸门输沙的运用机会也大大减小，这对冲刷库区的淤积显然不适合。因为汛期洪水情势对一年的冲淤平衡起决定性的作用，所以汛期冲刷要充分考虑。由于1974~1985年到1986~1995年再到1996~2000年，潼关水文站的平均流量从2 200 m³/s减少为1 240 m³/s再减少为830 m³/s，所以敞开所有闸门输沙的最小流量应由2 500 m³/s减少到1 000~1 500 m³/s为宜。

8.3.3.2　结论与启示

　　作者通过对三门峡"蓄清排浑"运用后水库冲淤与潼关高程变化、来水量多少对潼关高程影响、调整三门峡运用方式对潼关高程影响进行分析后，认为三门峡汛期最低敞泄流量为1 000~1 500 m³/s；非汛期最高运用水位要低于316~318 m。

8.3.4　黄河水利科学研究院的张翠萍：水沙变化对三门峡的影响

8.3.4.1　主要观点

8.3.4.1.1　水沙变化情况

潼关水文站 1974~1985 年为丰水枯沙系列，1976 年水量达 539 亿 m^3，年、汛期平均水量分别偏丰 9% 和 16%，沙量偏枯 12% 和 10%。1985~2000 年是枯水枯沙系列，年、汛期平均水量分别偏枯 29% 和 43%，沙量偏枯 36% 和 43%；最大年水量是 1989 年的 377 亿 m^3，最小年水量是 1997 年的 161 亿 m^3。年内分配变化：年内水量分配趋于均匀，泥沙仍集中于汛期。1986~2000 年与 1974~1985 年相比，潼关水文站年内水沙分配也发生了明显变化。1974~1985 年汛期与非汛期来水量的比例为 59∶41，1986~2000 年为 45∶55，汛期所占比例下降 14%；来沙量的比例 1974~1985 年为 85∶15，1986~2000 年为 75∶25，汛期所占比例下降 10%。

潼关水文站除了来水来沙总量减少外，不同流量级的分配也发生了变化。1986 年以后大于 2 000 m^3/s 流量出现天数大幅度减少，小流量出现天数急剧增加，流量在 1 000~2 000 m^3/s 范围内的天数变化不大；相应水量变化也呈现相同的趋势，不同流量级挟带的沙量占汛期沙量的百分数变化与水量不同。

8.3.4.1.2　水沙变化原因

1986 年以来潼关水沙量大幅度减少，主要是黄河上中游地区和渭河流域降雨偏少和人类活动影响造成的。人类活动主要包括干流大型骨干水库的调蓄、农业灌溉、城市生活和工业用水与水利水保措施。

虽然采取节水措施，但今后黄河上中游地区的农业灌溉、工业和城市生活用水对水资源的需求总量不会减少，水利水保工程的减水减沙效益会越来越高，上游水库对水量的调节也难以改变，因此，潼关现状水沙状况将继续存在。

8.3.4.1.3　淤积量变化

1974~1985 年淤积 0.59 亿 m^3，1986~2000 年淤积 2.40 亿 m^3，两者的差异主要是水沙变化造成的。水沙变化还造成泥沙冲淤部位不同，随着水量的减小，造床流量也降低。1974~1985 年造床流量为 5 500 m^3/s 左右，1986~2000 年造床流量为 3 900 m^3/s 左右，减小 29%。1986~2000 年潼关至大坝主河槽淤积 1.96 亿 m^3，占总淤积量的 82%。

8.3.4.1.4　水沙变化对潼关高程的影响

1973 年底，三门峡水库采取"蓄清排浑"控制运用，潼关高程(潼关 6 断面 1 000 m^3/s 水位)的变化呈现非汛期上升、汛期下降的特点。潼关高程与潼关水文站的年水量关系密切，遇连续丰水年，潼关高程呈下降趋势；遇连续枯水年，潼关高程则呈上升趋势。汛期潼关高程的下降值与潼关水量密切相关，汛期水量越大，潼关高程的下降值也越大；从统计资料来看，当汛期水量为 100 亿 m³ 左右时，潼关高程变化不大；水量每增加 100 亿 m³，潼关高程一般可多冲刷 0.2 ~ 0.6 m。

1974 ~ 1985 年来水较丰，对潼关高程下降有利，汛期平均下降 0.55 m；1986 ~ 2000 年汛期水量大幅度减少，潼关高程汛期下降 0.22 m。

三门峡水库"蓄清排浑"运用是建立在黄河的来沙主要集中在汛期，并且汛期有一定量的洪水水量冲刷非汛期淤积在库内泥沙的基础上的。在 1974 ~ 1985 年的有利水沙条件下，水库的运用发挥了多方面的效益和作用。

1986 年以来，随着黄河水沙总量和年内分配的巨大变化，非汛期水沙量分别增加，汛期水量大幅度减少，特别是大流量级的水量大幅度减少，造床流量降低，河槽萎缩，主槽淤积量占总淤积量的 82%。为了控制水库淤积和潼关高程，水库运用水位应进行调整。

8.3.4.2　结论与启示

小浪底水库投入运用后，从有利于减轻黄河下游河道淤积的角度限制三门峡水库敞泄排沙流量条件已不存在，三门峡水库敞泄排沙流量可以有所降低。从解决汛期本身输沙的角度，在现状水沙条件下，流量在 1 000 m³/s 以上时应敞泄排沙。在水沙条件没有发生明显有利变化之前，三门峡水库应降低运用水位，降低汛期敞泄流量，尽可能使淤积在主槽的泥沙冲刷出库。

8.3.5　黄河水利科学研究院的余欣：小浪底水库近期运用情况分析及存在问题探讨

8.3.5.1　主要观点

8.3.5.1.1　运用方面的情况

(1)减淤运用。1999 年 10 月水库蓄水运用，2000 年、2001 年来水来沙严重偏枯，累计入库水量 286.2 亿 m³、入库沙量 6.58 亿 t。相应水库排沙比为 1.30% ~ 7.81%，库区淤积泥沙约 7 亿 m³。水库蓄水拦沙清水下泄，在黄河下游河道产生冲刷。2000 ~ 2001 年黄河下游河道白鹤至利津河段已累计冲刷 1.72 亿 m³，初步估算下游河道减淤一般为 4 亿 ~ 5 亿 t。

(2)防凌运用。2000 年 12 月 ~ 2001 年 1 月，小浪底水库两次加大泄量，同时水库蓄水提高了出库水温，在下游河段气温比常年低 1.6℃ 的不利形势下，实现了 2000 年凌汛期黄河下游未封河。

受北方较强冷空气影响，2001 年 12 月中旬，由于流量小、气温低，黄河下游自河口 18 km 以上的 7.95 km 河道小流量封河，至 12 月底封河 106.73 km；2002 年 1 月 2 日以来，下游气温有所回升，封冰逐渐减弱。期间，三门峡、

小浪底水文站平均水温分别为 1.2℃和 8.4℃，小浪底水库蓄水增加出库水温
7.2℃，在很大程度上缓解了黄河下游凌情。

（3）防断流运用。花园口断面 2000 年水量仅较 1997 年大 24 亿 m³，但由
于小浪底水库调节，使枯水流量增加较多。加之黄河干流水量统一调度，2000
年黄河下游河道没有发生断流。

在来水特枯的 2001 年，小浪底水库与小花间来水和东平湖水库三者有机
地结合起来，确保了下游不断流。2001 年 8 月 1 日～9 月 14 日，利用水库泄
流及来水保证孙口水文站以上不断流，与此同时，充分利用东平湖出湖流量
保证孙口水文站以下不断流。东平湖陈山口闸关闭后，为保证利津站不断流，
适度增加了小浪底水库泄量。小浪底水库与东平湖水库联合防断流是对洪水
资源的有效利用。

（4）供水、发电运用。2000 年 4～6 月水库为工农业补水 11.46 亿 m³，2001
年 3～7 月底水库供水量约 40 亿 m³，并于每年 9 月中旬～10 月初，在黄河下
游沿黄地区秋种的关键时期增大泄量，缓解了下游两岸旱情，发挥了灌溉供
水效益。同时为"引黄济津"和"引黄济卫"应急输水顺利实施提供了有力
保证。

小浪底电站已累计发电量约 26 亿 kW·h，同时提高了河南电网调峰能力，
水库运用综合效益显著。

（5）调水调沙试验效果对比。2002 年 7 月调水调沙试验仅为小浪底水库调水
调沙方式中的一种情况，在一定程度上相当于"人造洪峰"。其原理是，在同样
水量条件下，大流量集中泄放的输沙能力要大于小流量均匀泄放的输沙能力。

为深入分析调水调沙试验的冲刷效果，利用调水调沙试验期间河槽（包括
主槽和嫩滩）各主要河段冲淤量与 1999 年 10 月以来，小浪底水库小流量下泄
期间冲刷效率进行对比。

流量集中下泄对冲刷下游河道特别是艾山以下窄河段有利。

8.3.5.1.2　存在的问题

（1）减淤运用使汛期水量进一步减少。小浪底水库运用以来，在一定程度
上进一步恶化了汛期与非汛期的水量比例，实际上是供水灌溉在一定程度上
挤占了输沙水量，对此发展趋势必须予以高度重视，应尽量避免"中上游修
建一个水库，则下游河道汛期输沙水量就减少"的情况发生（如：龙羊峡水库
1986 年 10 月蓄水运用以来，将汛期与非汛期水量之比 6∶4 调整为 4∶6，每
年增加黄河下游河道淤积一般为 0.3 亿～0.6 亿 t）。

（2）存在水资源不合理运用现象。黄河下游沿河两岸，在通过引黄闸门引
水的同时，存在"自破口门"、进行"无控制引水"的情况，致使年内极度不

平衡。2000 年利津以上按水量平衡计算，除去引水和滩区耗水量，不平衡水量一般为 33.4 亿 ~ 35.9 亿 m³。

2001 年黄河下游引水量为 74.4 亿 m³，如若考虑大汶河加水 8.42 亿 m³、河道蒸发渗漏和滩区耗水量后，年不平衡水量达 33.9 亿 ~ 36.4 亿 m³。

(3)出现"上冲下淤"不利态势。2000 年、2001 年华北地区旱情严重，为满足下游供水和灌溉要求，水库曾降低水位至 192.56 m、191.72 m 运用，严重影响了调水调沙运用。而在水沙条件满足调水调沙要求时，又因为种种原因没有实施调水调沙。2000 年 8 月 26 日和 2001 年 9 月 14 日水库均满足调水调沙造峰运用，但为满足"引黄济津"、"引黄济卫"和下游河道供水灌溉，小浪底水库在枯水情况下，为满足供水要求而放弃了调水调沙运用，持续泄放小水，下游河道已出现"冲河南、淤山东"的不利态势。

8.3.5.2　结论与启示

(1)坚持"调水调沙"，及早恢复河槽过洪能力。20 世纪 80 年代后期以来，河道主槽淤积严重。主要表现在以下几方面：主槽过水断面严重萎缩，平滩流量减少；同水位下过流能力大大降低；小洪水漫滩几率增大，淹没损失激增，致使滩地横比降加大，"二级悬河"加剧。

小浪底水库蓄水运用以来，2000 ~ 2001 年连续泄放小水，高村以下河道持续淤积，河道过洪排沙能力继续减少。黄河下游河道的河流生命已受到极大威胁(河流生命是指其自然过流输沙功能和自我修复能力)。因此，有必要利用小浪底水库调水调沙，及时冲刷恢复黄河下游河槽的过洪能力。另一方面，河槽过洪能力的恢复也可为近期利用中常洪水调水调沙创造条件，以避免在上中游出现高含沙洪水时，因河道过流能力所限，小浪底水库不得不大量拦蓄细泥沙而损耗宝贵的拦沙库容。．

(2)在保证下游河槽冲刷前提下，提高输沙效率。在黄河下游河道过洪能力得到恢复前，应试验研究如何通过小浪底水库不同高程泄水建筑物的联合运用控制出库含沙量，使下游河道全线冲刷的同时，能尽量多地带泥沙入海。

及时跟踪研究不同河道边界条件下"人造洪峰"的作用在大水年份非汛期或后汛期造峰运用。初步分析 6 月末至 7 月初，在满足供水、灌溉要求的前提下，可以结合三门峡水库坝区泥沙和小浪底水库控制汛限水位运用进行一次联合排沙运用，增大黄河下游河槽汛期行洪排沙能力。10 月份若来大水(如 2000 年)，可以根据前期河槽情况，灵活决策，适时造峰冲刷。据分析，当含沙量大于 150 kg/m³ 以后，随着含沙量的增大，河道淤积比也增加，输沙水量减小幅度比较小；当含沙量小于流量 40 kg/m³ 以后，河道还可能发生冲刷，但此时输沙水量消耗很大。因此，待黄河下游河道过洪能力得到恢复后，在控制下游河道微冲微淤的前提下，需充分利用下游河道的输沙能力，尽可能提高出库含沙量进行高效输沙。

(3)采取"无控制引水"分摊制度，加强水资源管理。黄河下游每年"无控制引水"30 亿～40 亿 m³，使水资源未能得到合理配置，更谈不上高效利用。对此部分水量，流域机构在加强管理的同时，可以将省区(或辖区)的"无控制引水"分摊入该省区(或辖区)，或将该部分水资源费作为浮动水价计入水费中。所征收费用用于水利基础建设，以补偿因"无控制引水"对水利工程造成的损耗。通过此种途径，可以使上下游、左右岸对"无控制引水"起到相互监督的作用。

对此部分水量若能严加控制，一方面可以将水资源纳入高效利用轨道，另一方面可节约部分水量进行调水调沙运用。仅此部分水量每年可以保障泄放 2 600 m³/s 历时不小于 15 天。

(4)研究将"冬三月"水量调节到汛期泄放的可能性。小浪底水库运用后，提高了供水、灌溉保证率，但在很大程度上是将汛期部分水量调节到非汛期供水期下泄，供水灌溉挤占了输沙水量。在龙羊峡水库调节的基础上，进一步减少了汛期水量。在研究从外流域调水和利用古贤、大柳树水库对水量进行反调节的同时，在小浪底水库实施调度中，可以结合天气变化等实际情况，进一步试验研究适当减少封河期流量和开河期流量，将凌汛期部分水量解放出来，以供防断流和汛期调水调沙运用。

若封河期流量和开河期流量减少 150～200 m³/s，则"冬三月"可节约水量 12 亿～16 亿 m³，此部分水量每年可以保障泄放 2 600 m³/s 历时不小于 5～7 天。当然对防断流效果更显著。

8.3.6　荷兰 Delft Hydraulics 的 Huib de Vriend：不确定性——地貌模拟中的问题

8.3.6.1　主要观点

作者罗列了水利管理五方面的挑战，即水利管理功能的改变、环境条件的改变、可持续发展的要求、空间压力、多人协商决策制定等。分析知识的需求，指出知识面应该平衡、宽广和统一，应该深入细致地了解管理的过程和向智能系统方向迈进。介绍了地理学、气候学、水文学、气象学、用地、泥沙分析学、地貌、工程、流量、泥沙输运、形态动力的关系。认为形态动力是最高层的部分，其次是地貌、工程、流量和泥沙输运，再其次是水文学、气象学、用地、泥沙分析学，最后是地理学、气候学，并且指出这些是我们所需要的知识层次。

作者以时间尺度为横轴、以形态动力为纵轴，表明日常事务、事件处理、维护工程、改善工程和可持续发展及长时间尺度预测的重要性。很显然，可持续发展是所有事务中最重要的事务。

(1)日常事务。作者列举如下日常事务：①最小的通航水深：从监测系统到数据支持预测系统；②闸坝控制：流量对下游水位的影响(受河床糙率的影响)；③沙量对下游地貌的影响。

(2)事件处理。精确的水位预测受到欢迎，但由于降雨、流量和糙率的影响有很多东西不确定。

(3)维护工程。以挖河为例分析了维护方面不确定性的问题，如在哪里维护，维护多久，财政预算和装配如何，长期效果如何；从水库放出的水资源保护效果如何，对地貌影响如何等，指出这些都是不确定的因素。

(4)改善工程。河流改善的举措包括降低防浪堤、加深水槽、清除行洪障碍、降低滩地、加宽河宽、大尺度后移大堤、修建滞洪水库、旁侧泄洪等，所有这些措施对地形影响如何，安全性如何，通航条件如何等。

(5)可持续发展。作者介绍了莱茵河和 Waal 河的冲淤情况，并提出怎样调整水沙量使河道纵比降增大、河口治理及植被的作用如何等问题。

(6)长时间尺度预测。固有不确定的预测通过以下途径来估测：①流量过程线；②产沙过程；③地形演变；④植被的作用等。

8.3.6.2　结论与启示

(1)地形预测在所有河流管理中都很重要。

(2)在这些预测中，不确定担当了重要角色。

(3)描述不确定的来源：在模型系统化方面，缺少知识和信息。

(4)不确定预测主要来源为流量过程和河床糙率。

8.3.7　荷兰 Delft Hydraulics / Delft Univ. of Technology 的 J.C. Winterwerp，H.J. de Vriend 和 Z.B. Wang：挟沙水流中的水沙相互作用

8.3.7.1　主要观点

分析了高含沙悬移质的低透性产生的流相表现和泥沙引发的浮力效应，认为从清水和在含沙水流中相对流速沿水深的分布情况可以看出，在同样深度情况下，高含沙水流的相对流速要比清水中的流速大，进而揭示了高含沙水流浮力较大的原因。

作者在讲述细沙非黏滞性水流悬移质挟沙能力时指出，当水流达到挟沙能力所持悬沙时，水流的含沙量处于饱和平衡状态，减小水流的流速或增大水流的含沙量都会导致沙粒的沉降，沉降的沙粒成为僵硬的河床，泥沙在紊流产生的地方形成固定河床，产生新的平衡断面。所以减小流速将会减小水流的挟沙能力。而在黏滞性水流悬移质含沙量达到挟沙能力后，减小流速会

发生 Winterwerp 等人 2002 年发现的所谓"絮凝"现象，即不再形成僵硬的河床，而是形成一层絮样的泥流层，促成雪球式效果和紊流崩溃的产生并聚集于断面。"絮凝"现象发生之前的状态称为"饱和含沙量"。

作者指出，当查理森数(Richardson number)超过某一临界值时，将发生"絮凝"现象，根据 Turner 等人 1973 年的研究成果，这一临界值等于 0.15。

根据 Soulsby 和 Wainwright 在 1987 年的研究成果，在垂直水体的方向上，有的高度上的水流的查理森数可能要超过临界值，这一高度之上的水体要产生"絮凝"现象，根据试验经验这种现象常发生于水流的表层。

查理森数与单位体积含沙量的关系图的每一部分曲线代表非饱和状态，悬沙与紊流场的作用可以测量但并不明显。在高含沙水流中也存在非饱和状态，例如黄河就是这种情形。值得注意的是，在低含沙量非饱和状态，增加含沙量可以达到饱和状态；而在高含沙量非饱和状态减少含沙量也可以达到饱和状态。这就解释了为什么高含沙水流如此的稳定和有侵蚀性，因为河床被侵蚀后水流的稳定性增加了。

8.3.7.2　结论与启示

总的来说，作者全文讲述了高含沙水流的沉降速度和黄土的通透性及含沙水流的浮力特征。说明了含沙水流的稳定性的影响因素，即对于低含沙量非饱和水流，增加含沙量可以达到饱和状态；而高含沙量非饱和水流减少含沙量可以达到饱和状态。值得注意的是，高含沙水流的侵蚀性并不像人们想像的那么大，这有两方面的原因：一是黄土的通透性差，水分子只有在低流速时才能取代土粒；二是对向下河床的侵蚀比较小，原因是水流从高含沙悬移质到河床困难。然而对河岸的冲刷却很大，因为由于裂口或岸的大坍塌，会有大的漂石或大土粒很容易被高含沙悬移质冲走。

尽管当前的一些研究能够解释黄河上的一些现象，但是全面了解和模拟黄河还需要进一步的研究。

第9章　首届黄河国际论坛
流域生态环境保护专题综述

在本届黄河国际论坛上，黄河流域生态环境问题备受关注，来自国内的许多专家、学者对此发表了看法。坛论共收到涉及黄河流域生态环境保护问题的论文33篇，其中境外论文4篇，大会宣读论文1篇，专题研讨分会场现场交流12篇(含境外论文4篇)。在总结分析这些观点之前，应首先了解一下生态环境的概念和黄河流域生态环境问题。生态学是研究生物与其生存环境之间关系的学科。生态环境是以整个生物界为中心，直接或间接地影响人类生活和发展的自然因素与人工因素的环境系统，包括各种自然物质、能量和外部空间等生物生存条件组合成的自然环境和经过人类活动改造过的人工环境。根据生态环境概念，黄河流域生态环境问题可以定义为导致流域内生物群落生存环境恶化的所有问题，具体包括河道泥沙淤积问题、水质恶化问题、湿地退化问题等。河道泥沙淤积，河床抬高，决堤危险增大，两岸人民生命财产安全受到威胁，可以说人们的生存环境恶化及水质恶化直接威胁着河道生物群落的生存；同时，以黄河水为生活、生产水源的人们的身体健康也会受到影响和威胁；湿地退化威胁到湿地内物种的生存，甚至是灭绝，并可能导致局地气候的不利变化。

9.1　泥沙问题

在本届黄河国际论坛上，关于黄河流域生态环境问题，与会者最为关注的是黄河泥沙问题，具体来讲就是黄河泥沙来源、产生原因、泥沙带来的生态环境问题、治理对策措施、效果分析等。

9.1.1　原因分析

黄河泥沙来源目前已经比较清楚，主要是中游黄土高原7.8万 km^{2}范围内的水土流失。对泥沙产生的原因，与会者看法比较一致，有人为的也有自然的。自然原因主要有：①土质疏松，遇水极易分散、崩解，抗蚀能力很低；②降雨集中，强度大，多暴雨。人为原因主要有：①历史上黄土高原地区人类活动极为频繁，连绵不断的战争对森林草原植被和土地资源造成了极大的破坏(秦鸿儒：黄土高原水土流失治理有关问题研究)；②大面积的开荒耕作。据历史记载，战国至秦汉、宋金时期、明清以来黄土高原先后经历三次人口大迁徙和大面积的农业开发，农业开垦大多采取毁林开荒的做法，广种薄收，耕作粗放，改变了黄河中游的小气候环境，使黄土高原广大地区更加干旱，加速了黄土高原的水土流失，导致黄土高原地面支离破碎、沟壑纵横，完整的塬面已大大减少(李立阳：黄河流域环境变迁与生态整治对策)。

9.1.2　泥沙产生的生态环境问题

对于泥沙带来的生态环境问题，与会者看法比较辩证也比较全面。一方面泥沙产生地区——黄土高原，由于水土流失，土壤肥力降低，干旱加剧，天然植被遭到破坏，大片土地退化、沙化，生态系统的自身修复能力丧失；另一方面大量泥沙进入黄河，造成下游河道和水库淤积，削弱了河道的行洪能力，减小了水库的有效库容，从而加大了防洪压力和决堤的危险，造成整个黄河流域生态环境的恶化(康玲玲：浅谈黄土高原水土保持生态环境建设的生态效益)。

9.1.3　防治对策措施

关于黄河泥沙的治理对策，分为源头治理减少水土流失(黄自强：黄土高原地区水土流失的防治途径)，对已经淤积在河道内的泥沙，采取调水调沙(李国英：黄河调水调沙原型试验)、挖河固堤(姚文艺：黄河下游窄河段挖河减淤的机理和实践)等措施。源头治理措施包括工程措施和非工程措施。工程措施主要是淤地坝建设，目前已初见成效；非工程措施主要是增加林草植被覆盖度，改善局地小气候。由于植被面积增加必然消耗部分水量，从而造成黄河径流量减少，在有关规划中必须予以统筹考虑(许建华：黄土高原植被建设需水量分析)；李锐在《水土保持的区域环境效应》一文中提出，在水土保持工程建设中如何减少消耗的水量，如何最大限度地减少水土流失是水土保持建设必须考虑的问题；来自荷兰的 Jannes Stolte 在《土地利用对黄土高原土壤水力特性空间差异的影响》一文中指出，不同土地利用方式对于减少水土流失的效果是不一样的，并提出用于研究不同土壤利用方式减少水土流失的效果分析的灵敏度较高的研究参数——饱和土壤传导率；部分与会代表还提出，要注意提高水土流失区域生态自我修复能力，这个观点具有一定的创新性，但如何提高区域生态自我修复能力，还需要进一步研究。总之，尽管水土保持还存在许多问题，但它作为减少入黄泥沙的可行有效措施是正确的、不容置疑的。

总之，关于水土保持，与会代表从目前技术的措施、治理效果、管理体制等角度进行了全面阐述，认识基本一致，而且还对其中的具体技术问题进行了深入探讨。

关于调水调沙，目前已经完成第一次原型试验，效果不错；挖河固堤措施也取得了良好的效果，姚文艺在《黄河下游窄河段挖河减淤的机理和实践》一文中提出，只要设计参数选择适当，在黄河下游窄河段挖河是可以达到一定减淤效果的，另外，挖河减淤是有时效性的，应将挖河作为抑制河床抬升的一种长久措施。关于挖河的很多关键技术问题还有待进一步研究。

关于泥沙治理，一些与会者还提出许多观点。如李立阳从社会角度提出应适当控制黄土高原地区人口增长。他认为，黄土高原的人口生态负载量为 2 000 万左右，超载的 7 000 万人是破坏生态环境的主要力量；通过对 Cambisols 的湖沙对农化及一些物理特性变化的影响分析，得出合理利用泥沙可以使农作物增产(维尔纽斯：Cambisols 的湖沙对农化及一些物理特性变化的影响)；通过合理改造入海流路，输沙入海可以填海造地(李富林：黄河三角洲岸线变化及其亚三角发育趋势)。关于泥沙问题，笔者认为，首先要解决认识上的问题，那就是泥沙问题的形成与治理都不是在一个短期内所能完成的；其次要明确泥沙治理目标，减少入黄泥沙量。具体来讲就是，在正确认识泥沙问题的基础上，根据中游目前的实际情况，坚持标本兼治和短期、长期效果并重的原则，采取切实可行的工程措施与非工程措施，注重提高区域生态自我修复能力，最终实现减少入黄泥沙的目的。

9.1.4　建议

黄河泥沙的来源、产生原因、泥沙带来的生态环境问题非常清楚，而且已经实施的治理措施比较可行，但如何保证措施到位，还必须从制度体制上进行认真研究来加以完善，这是因为粗沙产沙区治理范围是 7.8 万 km²，而且投资巨大，历时较长，没有制度作保证，就很难保证治理效果。为此，梁恩佐在《黄土高原灌溉和水利开发利用》一文中提出，水土保持必须基于有持续发展可能的规划。刘正杰在《黄土高原地区水土保持生态建设及其发展战略》一文中建议，一要继续推行承包、租赁、股份合作、拍卖等多种治理水土流失的责任制形式；二要推广专业队治理和大户治理的经验；三要深化水土保持建设管理体制的改革力度；四要在继续加强水土保持关键技术科技攻关的同时，以"3S"高新技术的推广应用为重点，带动黄土高原水土保持生态建设技术现代化和管理手段的现代化。因此，关于水土保持，在进行工程措施、技术措施研究的同时，还要加大制度创新研究。

9.2　水质恶化问题

黄河流域水质恶化，使得黄河流域面临资源性缺水、水质性缺水的双重压力(司毅铭等：黄河水质问题研究)，2002 年引黄济津因水质问题被迫中断、三门峡市民不能饮用黄河水、万家寨水库水质恶化致使引黄入晋工程有渠无水等。由于水质恶化主要是人为原因造成的(也有天然径流减少河道自净能力降低的原因)，因此可以通过制度建设和加强管理予以改善。如引入水功能区管理制度，实施总量控制(张晓建：在黄河流域加快实施污染总量控制步伐)、加强工业污染源以及城市生活污水治理等措施，制定长期规划，改变流域产业结构，控制重污染企业等(郭正：黄河水环境现状及其对策分析)。造成黄河水质恶化，不仅有点源的原因，也有面源的原因。为全面掌握污染源情况，面源亟待量化(Edwin D.Ongley：中国的非点源污染：比较和评估)，在本届黄河国际论坛上，来自湖南大学的专家介绍了《农田非点源污染模拟的分布式模型系统研究进展》，该模型在美国得到应用，结果较为可信，基本能满足管理需要，但在国内应用尚待验证。根据目前黄河流域水资源保护体制现状，要想从根本上遏制黄河水质恶化，必须进行体制创新、制度创新，以适应当前形势的需要。

9.3　湿地退化问题

关于湿地退化，本届黄河国际论坛研究较少。来自国际粮食政策研究所的蔡欣铭在《黄河流域水资源开发优化策略：保持农业用水和生活用水平衡》一文中指出，黄河流域，尤其是黄河下游地区，主要的生态用水和环境用水应包括维持湿地生态系统、沿海地区补给地下水防止海水侵蚀和冲刷泥沙所需水量。湿地退化主要是水量减少所致。要保证湿地不退化，保持湿地生物多样性，必须合理调度黄河水资源，保证足够的生态用水和环境用水。目前，黄河流域水量消耗主要是农业用水。因此，要保证生态用水和环境用水，必须限制农业用水量。

第 10 章　首届黄河国际论坛
跨行政区水污染管理专题综述

　　目前中国跨行政区水污染问题正日益凸显出来，而解决此类问题的法律尚不完善、机制尚不健全，开展跨行政区水污染管理问题的研究正是应时而兴，成为环境保护专家、政府官员关注的焦点之一，因而也成为本届黄河国际论坛的热点之一。本届黄河国际论坛共收到涉及跨行政区水污染管理问题的论文 11 篇，其中境外论文 3 篇。所有论文均在专题研讨分会场现场交流，来自澳大利亚、加拿大、清华大学、北京大学、武汉大学、北京师范大学、上海交大等国内外的许多专家纷纷发表了自己观点和阐述了自己的研究成果。这些观点和研究成果主要是针对中国跨行政区水污染管理的，案例背景包括黄河、淮河、汾河等。

　　本届黄河国际论坛跨行政区水污染管理问题研讨的重点在于跨行政区水污染管理法律法规的完善和管理机构设置问题。关于跨行政区水污染管理法律法规问题，Edwin D.Ongley 在《跨行政区的水污染立法框架国际比较》一文中指出，在美国、加拿大、澳大利亚，跨区域水污染管理没有专门的法律，都是依据现存的环境法律，而且跨区域水污染得到有效管理，没有出现矛盾激化，主要得益于透明的法律、没有机构的竞争、严格执法、鉴别争议和解决机制、地方官员的公众责任等。来自中国政法大学的王灿发在其《中国跨界水污染管理的经验和教训：从淮河水污染防治实践中所获得的启发》一文中，通过对淮河流域水污染防治工作的分析总结得出，制定专门的跨行政区水污染管理法规，对于有效管理跨行政区水污染是很重要的。来自武汉大学环境法律研究所的蔡守秋认为，要解决跨行政污染管理问题，应着重修改完善现行《水污染防治法》，增加有关内容等。来自北京大学的王学军在跨行政区水污染项目研究中也对现行《水污染防治法》提出了许多修改意见和建议。

　　综上所述，对于跨行政区的水污染管理问题没有必要专门就此立法，但必须对我国现行的涉及水污染管理的法律进行修改完善。

10.1　关于跨行政区水污染管理立法问题

　　关于跨行政区水污染管理立法问题，与会专家、学者建议如下：

(1)对《水污染防治法》与《水法》中的有关概念进行详细的界定，避免出现歧义；解决《水污染防治法》与《水法》的重叠和冲突，从法律上界定水利部门和环保部门的职责，避免权力分配的模糊和冲突；增加程序性规定条款，提高法律的可操作性等，从而保证《水污染防治法》与《水法》在跨行政区水污染管理方面的衔接互动(TA 3588－PRC：跨行政区水污染)。这些观点主要是针对我国现有有关水污染防治法律存在的问题提出的，具有很强的现实意义，因此得到与会专家、学者的一致认可，可供法律制定部门参考。

(2)着重修改完善《水污染防治法》，增加跨行政区水污染管理内容，明确跨行政区水污染概念、责任规定、处理程序等，充分发挥环保部门在跨行政区水污染管理方面的作用。同时，强调水利、环保在进行水资源规划时的统一性和协调性，预防跨行政区水污染的发生(蔡守秋：水污染防治法与跨界水污染管理)(TA 3588–PRC：跨行政区水污染)。上述观点表明，关于跨流域水污染管理问题，学者们认为，由环保部门负责便于操作，但同时，学者们也认识到，跨行政区水污染管理必将涉及到水量问题，而水量则具体由水行政主管部门负责，如何协调水量、水质管理问题是必须要考虑的。有关学者建议，通过加强水资源规划的统一性和协调性解决水量水质问题。但也有专家认为，规划属于宏观管理范畴，日常管理行为则是微观管理，宏观管理对微观管理来说只是原则性规定，无法具体规范微观管理行为。一个很明显的例子，黄河水量分配方案早已通过国务院批准，但在具体管理上，仍存在许多问题，结果造成黄河断流。因此，水质水量本来是一个问题，不能人为分割，必须由一个部门统一管理，做到责权明确，责任到人，这样才能解决水污染问题。为此，必须对现有管理体制进行彻底改革。

(3)作为跨行政区水污染管理的技术措施——总量控制，应进行明确的法律界定，包括概念、控制总量制定机关或部门、总量统计机关及部门、调查、监测等(TA 3588–PRC：跨行政区水污染，蔡守秋：水污染防治法与跨界水污染管理，翁建华：黄河流域跨行政辖区水环境监测与水污染状况)。关于总量控制，施汉昌在《华北河流的环境容量——立法者技术难题》一文中指出，目前华北地区大多数河流成为季节性河流，非汛期根本没有径流，更谈不上环境容量。因此，作者呼吁，在跨行政区水污染立法或有关法律修改时，应强调对河流环境容量的维护，主要措施包括大力发展节水措施，提高水资源利用率，鼓励废水回用，调整水价，让公众参与用水计划制定过程等，合则，实施总量控制将成为空中楼阁。目前，我国在《水法》中对总量控制进行了原则性规定，由水利部门提出，环保部门具体负责落实，但该项工作涉及不同部门，落实起来将十分困难。

（4）有关法律应该明确跨行政区水污染监测数据与信息公开。与会专家、学者一致认为，跨行政区水污染监测数据及信息公开有利于提高问题的透明度，便于公众及社会团体的监督和参与，有利于跨行政区水污染管理的有效开展。监测数据和信息实行共享，同时，在不涉及国家安全的情况下向社会公开是发达国家一贯的做法，具有积极的现实意义。

10.2　关于跨行政区水污染管理机构设置问题

关于跨行政区水污染管理机构设置问题，与会专家建议如下：

（1）根据目前中国水资源和水环境管理体制现状，Edwin D.Ongley 在其跨行政区环境管理项目——跨行政区水污染子项目的成果与建议中提出，由国务院成立一个部级联合委员会，负责协调《水法》和《水污染防治法》的交叉及水利、环保部门的冲突（《水法》和《水污染防治法》的重叠与冲突没有解决之前）；同时，在不同的省级行政区之间成立由国家环保总局、水利部领导以及有关省份副省长组成的领导小组，负责跨行政区水污染重大问题的决策及流域规划等，日常管理由领导小组下设的办公室负责（TA 3588–PRC：跨行政区水污染）。

（2）来自武汉大学环境法律研究所的蔡守秋认为，可以建立流域环境资源保护机构，或者将现有的流域水资源保护机构作为国家环境保护总局的派出机构，并赋予其流域水资源保护和水污染管理职能。

（3）来自北京师范大学水科学研究所的隋欣认为，成立跨行政区水污染问题仲裁委员会，委员由专家担任，通过行政调解和仲裁等方式解决跨行政区水污染问题（隋欣等：跨行政管理区水污染纠纷解决方法及程序）。

（4）一些学者通过对国外流域水资源保护机构的考察后认为，流域机构应由国家机构代表及流域内利益相关者组成，或称协调委员会，或称流域委员会，具有法律地位，但一般不具有强制性行政管理职能，只负责规划、组织、协调、监督、报告等（Peter Millington：跨行政区的水污染立法框架国际比较）。

10.3　评价及建议

目前，我国跨行政区水污染问题的存在已是一个不争的事实，尤其在北方较大河流上，如黄河，2001 年黄河流域 69%的省界河段水质全年劣于Ⅲ类（翁建华：黄河流域跨行政管辖区水环境监测与水污染状况）。但由于跨行政区水污染法律界定不明，致使许多问题被掩盖，只有严重后果发生了，才会引起重视，如向山西调水的黄河万家寨水库水污染问题、水质严重恶化的河南金堤河对黄河干流下游山东用水的影响等(王学军：黄河流域跨行政区问题分析)。也正是由于跨行政区水污染法律概念不明确，导致人们认识模糊，意识缺乏，从而助长了跨行政区水污染行为的发生，致使问题日趋严重。本届黄河国际论坛将跨行政水污染管理问题作为热点问题进行充分研讨，综合各方观点，可以得出如下结论：

(1)跨行政区水污染管理是水污染管理的重要组成部分，是由于行政区的存在而产生的一个不同层面的管理问题，它与行政区内水污染管理是一致的，二者相辅相成，相互促进。因此，对跨行政区水污染管理没有必要专门立法，但必须对有关法律主要是《水污染防治法》进行修改完善，增加有关内容，以适应跨行政区水污染管理的需要。

(2)《水污染防治法》修改增加的主要内容包括明确跨行政区水污染法律界定、跨行政区水污染责任规定、可操作性的处理程序、监测数据的公开及有效性的认定等。

(3)有效开展跨行政区水污染管理不仅能促进点污染源的治理，还可以减少面源污染。这是因为，各行政区要保证出境水质达到规定跨界水质标准，不仅需要对点污染源进行治理，而且必须对面源加以控制，否则，就可能无法保证跨界水质标准；同时，要保证跨界水量，还必须对辖区内取用水进行合理、有效控制，这也有利于节约用水，提高水利利用率。因此，有效开展跨行政区水污染管理是今后水资源宏观管理的方向。

(4)关于跨行政区水污染管理的机构设置及管理体制问题，目前尚无一致看法。专家认为，由于中西方体制差异、文化背景不同，西方国家跨行政区水污染管理模式不一定适合中国国情，必须根据我国实际情况而定，而且，在修改完善有关跨行政区水污染管理的法律时一定要与跨行政区水污染管理的机构设置及管理体制问题一并统筹考虑，避免法律冲突及机构职能的交叉。

就目前我国管理体制以及跨行政区水污染现状而言，出现跨行政区水污染事件时既涉及到行政区之间的关系，又涉及到公民个人之间及其与企业法人之间的关系等，既有地方利益，也有公民个人利益等，关系十分复杂。因此，要有效开展跨行政区水污染管理，应采取行政、法律双重措施。跨行政区水污染管理目标：预防跨行政区水污染事件发生，公正高效地处理跨行政区水污染事件等。故此，本人认为，就跨行政区水污染管理机构应包括国家级协调委员会和流域层面的监测监督机构，国家级协调委员会负责协调重大事项，包括规划、跨界水质标准确定、跨界水量的确定、重大跨界水污染事件的协调处理等。该委员会由国家环保总局、水利部、有关省副省长组成，由一名国务院副总理任委员会主席；流域层面上监测监督机构负责规划的监督实施、跨界水质水量的监测、报告、通报、监测信息发布、一般性跨行政区水污染问题的调解等，该机构没有行政管理职能。在跨界水污染管理上，调解只对行为本身进行规范校正，对行为已经造成后果的应通过民事、刑事诉讼解决。

第11章　中荷合作——建立基于卫星的黄河流域水监测和河流预报系统项目启动会技术总结

2003 年 10 月 23 日，"中荷合作——建立基于卫星的黄河流域水监测和河流预报系统"启动仪式在首届黄河国际论坛期间隆重举行。

众所周知，黄河是中华民族的母亲河，黄河安危事关全局。黄河的防洪、水资源的生态环境问题受到了政府和人民高度重视，尤其是随着流域经济的发展，黄河的水资源紧缺问题日益严重，不仅仅是黄河下游而且全流域都面临着断流的威胁，黄河水资源问题和防洪问题变得同等重要。建立现代化的流域水资源监测和预报系统，对提高黄河流域防洪和水量统一调度的科学性及预见性具有重大意义。

多年来，国家加大了资金投资力度解决包括水文监测预报在内的黄河问题。经过多年的建设，黄河流域水资源监测水平有了很大提高，但与国民经济的发展对黄河的治理和开发提出的更高要求相比，仍有很大的差距，尤其是黄河源区和小浪底至花园口区间的水文测报及预报技术手段与水平还不能满足黄河水资源和防洪调度的迫切需要。黄河上游是黄河流域水资源的主要来源区，黄河源头地区来水直接决定着黄河的水资源枯衰，其监测、计算、预报及分析十分重要。由于该区域属高寒地带，常规水文站点少，测验条件差，现有水文测验手段获取的水文信息不足以说明该区域径流变化的原因，河源区的水资源预报的落后局面已成为影响整个黄河流域和水量调度水平的"瓶颈"。小浪底至花园口区间是黄河重要的洪水来源区，但洪水预见期短，其预报水平对小浪底等 4 个水库防洪调度有决定性影响。因此，在水利部的指导下，黄委决定与荷兰 EARS、IHE 和荷丰公司等单位合作，建立基于卫星的黄河流域水监测和河流预报系统，采用遥感、遥测等先进技术实现空间水文监测，以弥补地面观测的不足，实现黄河流域时间、空间连续的基于气象卫星的降雨、蒸发、干旱监测，并拟采用分布式模型和人工神经网络开展河源区径流预报和三花间洪水预报，经扩展后可实现水体、荒漠化、森林、植被、土壤含水量等方面的空间监测，对提高黄河流域水资源监测水平有着创造性意义，也必将对黄河流域水资源的开发利用起到重要的促进作用。

　　本项目从酝酿到立项及至通过中荷两国政府的批准，历时 3 年多时间，其间中荷项目合作双方采取科学、严谨的态度，对项目方案进行多次论证和修改，付出了大量的心血。中国水利部、财政部和荷兰政府、荷兰驻华使馆对项目积极支持。荷兰政府举办的第二届世界水论坛，为中荷项目双方提供了相互了解的渠道。黄委对此中荷合作"流域水监测和河流预报系统"项目高度重视，多次召开专题会议研究项目有关问题。

　　此次河源区项目仅是中荷黄河大规模合作的开始，黄河流域已被中荷合作联合指导委员会确定为下一阶段中荷合作重点流域。此后荷方专家将赴现场调研，并提出合作项目名单。

第 12 章　首届黄河青年流域一体化管理对话会技术总结

12.1　概况

　　首届黄河国际论坛青年流域一体化管理对话会于 2003 年 10 月 23 日上午举行，参加此次对话会的嘉宾有黄委主任李国英，澳大利亚墨累－达令河流域委员会首席执行官 Mr. Don Blackmore，法国罗讷河流域委员会主席 Mr. Pierre Rossel 和英国 IFM 副总裁、FBA 理事、英国水行业污水网络主席 Mr. Peter Spillett。参加的领导有部直属机关纪委书记韦树桐，黄委党组成员、纪检组长兼直属单位党委书记李春安，黄委直属单位党委副书记王灿勋，黄委人劳局副局长李向阳，黄委国科局副局长尚宏琦，黄委离退休职工管理局副局长冯宜成，黄委设计院院长李文学，黄河服务中心主任朱广社。参加对话会的还有部直属机关团委、郑州团市委、郑州铁路局团委、中建七局团委、河南日报团委、河南电视台都市频道团委、河南省水利厅团委的同志。黄委 300 余名青年同志参加了此次活动。对话会由黄委的刘斌和千析主持。

　　嘉宾和黄委的青年朋友围绕着流域一体化管理的有关问题进行了两个半小时的热烈对话，达到了预期目的。

12.2　内容

12.2.1　三位外国嘉宾介绍本国流域概况

　　墨累－达令河流域跟黄河流域有许多相似之处，它的水资源利用占到 40%左右，因此也产生了许多与水有关的问题，比如取水问题。为了解决这个问题，在过去的 100 年当中，墨累－达令河流域建了许多大坝。但是在过去的 20 年当中，他们进行了一些实质性的转变，从工程的大坝建设转变为综合的流域管理，现在正在改善流域的经济性能。他们在用水越来越大、把水从一个地方调到另一个地方的同时，也开始注意保护这个流域的自然财产。他们认为这种非工程性的流域管理比工程性的建坝要复杂得多，挑战性强得多，是个非常复杂棘手的过程。

　　法国是一个非常令人神往的地方，有着灿烂的文化和许多旅游资源。它的历史虽然不及中国悠久，但也非常长。法国的国土面积是中国的 1/18，只有 55.16 万 km²，人口 1 600 万。罗讷河流域的主要问题就是在这个小范围内怎样平衡流域内各种不同的用水。

泰晤士河长 3 000 km，是英国文明的摇篮，也是伦敦的一个旅游胜地，但它只有 2 000 年的历史，是从罗马时代延续到现在的。通常认为英国是个多雨的国家，但实际上，英国很干旱，雨不多，泰晤士河流域也很小。在泰晤士河流域，有 1 200 万人口需要用泰晤士河来供水、航运，还要运输一些废物，所以，进行综合的流域管理非常重要。由于泰晤士河水被多次重复使用，所以英国对污水处理有很高的标准。在 56 年前，泰晤士河是条死河，后来，英国对泰晤士河投入了很大的资金进行治理，现在，有 120 种鱼类又返回到了河流中，这在全球的河流治理中是个非常成功的范例。

12.2.2　流域一体化管理的概念

法国罗讷河的流域一体化管理就是通过流域管理，在工程当中培养一种主人翁精神。也就是说，让每一个人都认识到，水是大家的，每一个人都要关心它、保护它。因为法国从 20 世纪初到 70 年代，流域的管理主要是建设工程，用水发电、灌溉等。由于用水量大，不注意综合管理，所以污染很严重，对环境造成了很坏的影响，也导致大家对传统的流域管理方法非常不满。

澳大利亚墨累－达令河流域一体化管理的做法是首先让人们明白流域面临着什么样的问题，在此基础上对环境和经济方面进行综合考虑。墨累－达令河流域的综合管理已有 40 多年，但是在过去的几十年中，他们的管理方法也是以工程建设为主，结果造成了很坏的环境影响，现在已转变为保护流域的总体价值。具体做法是增强各有关部门的职责，同时让公众积极参与进去。墨累－达令河流域取水量大，解决的办法是进行配水。这种配水不是简单的分水，也不是私有化，而是在个人之间进行用水权的交易，也就是用经济的手段来开展管理。政府采取措施鼓励农场主和农民通过水权的买卖恰当地用水，并通过有关的协调工作和用水权的交易，来促使他们做出正确的种植作物决策，达到生产和用水的和谐。

李国英主任认为，流域一体化管理是一龙管水，多龙治水。也就是说，所有的治理方案都必须在规划的批准下进行，但是治水可以发挥各种渠道，比如，治水的投资主体可以是国家、地方，也可以利用外资。每一个国家有每一个国家的国情，每条河有每条河的河情，所以流域一体化管理在各个国家、各条河流都有不同的定义，很难有一个全球通用的流域一体化管理的概念，但是每个流域都应该采取最有效的管理手段和管理体制。

Peter Spillett 先生认为，流域一体化管理有几点共同的原则。首先，要有一个体制，能够允许不同的利益相关方彼此交流。其次，要有一个系统进行利益相关方之间的调度、协调，就是在总体规划下，有一个主要的机构负责总的调度，使各个利益相关方采取相应的行动。第三，流域一体化管理应该有一个综合的管理理念，要保护环境。第四，必须有一个公平的由上至下的决策支持系统，使得水资源能够公平地进行分配，并且这种决策应该尽量下放到各个地方的社区，使每个社区承担起一定的责任，结合当地的情况采取行动。

12.2.3　各个流域在流域一体化管理中遇到的问题、采取的措施及其效果

罗讷河在流域一体化管理中遇到的一个很重要的问题是生态保护问题。罗讷河的生态保护是一种生态目标，它是最近 20 年才开始进行的。在生态保护目标上遇到了很多问题，首先是人类的污染，罗讷河流域有 1 000 万人口，人类活动造成的污染很严重。第二个问题就是工业污染，解决的方案是谁污染谁付费，以此起到遏制污染的作用。第三个最大的污染就是农业污染，因为，农民以前认为农业没有对河流造成污染，现在他们才慢慢认识到了。第四个问题是地下水的问题。在很长一段时间当中，罗讷河的河流流速非常低。解决这些问题有两个原则，一是谁污染谁付费，二是以水养水。罗讷河有很多的资金支持系统，就是用平时比较好的水资源获得更多的资金支持。现在他们的努力目标是在农业中推行这两个原则，计划在 10～20 年中彻底解决农业污染。

墨累－达令河流域一体化管理中的一个非常重要的问题就是断流问题。2003 年墨累－达令河发生了断流,这是过去的 100 年当中发生的第二次断流。他们解决断流的办法是分配用水权，就是把河里的水分配给大家，你可以自己用水，也可以把水用于交易，由主管部门负责交易。澳大利亚政府也认为水权最好是一龙管水，他们有一个主管部门，但是，他们也需要用户的参与。事实证明，这种做法是可取的。现在，每个人都知道水权到底是什么，水权对于保护管理水的意义。同时，在枯水年出售水权的农民可以得到丰厚的回报，还有一点就是水权在缺水时提高了用水效率。因此，水权交易给了大家很大的动力。这种水的交易不是在农民个人之间进行，大部分是在各个相距 200 km 左右的社团之间进行，最远的两个交易方之间的距离相差 1 500 km。墨累－达令河流域委员会的职责就是促进各地之间的水交易，保证交易最后确实得以实施。有时候，水的交易会带来污染问题。如果发生了污染，政府司法就是保证买水的一方能够有效地治理污染，因为有能力治理污染也是进行交易条件的一项。他们最初采取这种做法的时候也是先有试点项目，如果可行，再进行推广。

泰晤士河在流域一体化管理中解决的一个重要问题是水污染问题。在英

国，有种制度叫做水质目标，也就是不同领域有不同的用水标准，每段河流有每段河流的化学物质标准。目前还没有完成这个目标，但是已经取得了很多的成就。英国也面临着水缺乏的问题，政府采取了一个两步走的计划，一方面是发展水源、水量，另一方面是控制水量。政府投入了很多的资金来保障伦敦的防洪安全。政府也鼓励公众采取适当的行为节约用水，提高用水效率，并向公众提供一些咨询、建议。例如，不要在中午用水管浇花园，在洗碗的时候采用新的节水的刷碗机。现在，政府正在进行调查如何重新使用已经使用过的水。同时，政府把一部分水排到地下，补充地下水。政府还有一些新的水库发展计划。保证水量很重要的一点就是在上游尽可能地保障水流，所以，政府现在的主要目标已从保障水质改变到了保障水量。

黄河在流域一体化管理过程中存在的问题非常严重。黄河面临的主要问题包括水质在内一共有四大问题，第一大问题就是黄河的防洪问题。因为黄河下游是"地上悬河"，黄河一旦决口就意味着改道。第二大问题是水资源供需矛盾的日益尖锐化。黄河的缺水比澳大利亚、英国、法国要严重得多。突出表现在 1990 年到 1997 年，几乎是年年断流。第三大问题是水土流失问题。黄河流经了世界上最大的黄土高原，每年有 16 亿 t 的泥沙进入黄河，使黄河下游的河床不断抬高，水库不断地被泥沙所填满。第四大问题是水质污染问题。黄河在 20 世纪 80 年代每年接纳的污水排放量是 21 亿 t 左右，进入 90 年代以来，每年接纳的排放量已超过了 42 亿 t。这四大问题造成了黄河是世界上最复杂难治的一条河流，这是摆在我们这代人面前非常重的任务。只有对每个问题进行深入的分析、研究，采取各种有效的措施，以只争朝夕的态度，才能够使黄河的问题逐步得到解决，才能更好地造福于中华民族。

12.2.4　四个流域的一体化管理模式

泰晤士河的管理在20世纪四五十年代前是由不同的机构承担的，市政府、当地官员还有一些污水处理的部门负责各自的项目。1963 年，流域管理实现了国家化和集权化，由国家统一来规划。1973 年，以流域为基础，建立了 10 个地方的水务局，泰晤士水务局是最大的一家。每一个地方的水务局负责这一地区水循环的方方面面。1989 年，英国把所有国有水务管理机构都私有化，以能提高水务管理的效率。私营公司可以通过私营的渠道从银行及其他途径筹集更多的资金投资到水系统中，不用依赖国家财政部门的拨款、资助。英国的私有化发展得很好。英国的水管理有长期的战略性的规划，每年也制定一个具体的计划。但是真正对水务进行经营和管理的是私营公司，政府只起到监管作用。政府成立了一个强有力的监管机制，对私营公司进行监管，这些监管部门对政府负责。

法国不是私有化的体制，流域机构是政府机构，他们通过对污染和用水收费这种渠道来筹集资金。这些资金包括支付管理机构日常的管理费用，同时为各个城市的有关水机构、水公司提供支持，建设抽水站或者污水处理厂等。在法国，综合的水管理更多的是一种通过行政和经济手段并用来进行管理。对水的调度是由河流管理局来负责的。河流管理局有政府、用户和社区的代表。这种代表不是代表大部分，而是代表所有的利益关系方，政府在其中起到一个监管角色。关于水管理方面的政策，政府是需要和公众进行协商的。

墨累－达令河流域委员会主要管理有关的堤坝、河流，同时保证各州按照有关的规定开展管理，保证农民、农场主能够很好地利用水，还要负责堤坝的维护、水质的保护等，对各州之间的调水、用水当作一种业务来开展。墨累－达令河面临的几个主要问题，第一是供水和需水之间的矛盾；第二是污染，主要是自然污染，也就是盐分的污染；第三是水土流失。解决这些问题所采取的措施由社团来管理，而不是政府，就是每 20 km 左右的地方就会有一个相关的机构来进行管理，政府主要是制定一个监管框架和环境，确定有关的流域之间的界线。联邦政府和州政府已对整体的框架达成了一致的意见，就是主要制定关于防洪方面战略的目标和政策，同时保证拥有足够的资金来开展这方面的工作。所以，墨累－达令河是由民众自己负责取多少水、交易多少水、界线在哪里等。使土地所有者能够承担起他们应承担的职责的重要保证是政府要有充分的投资。墨累－达令河流域有 2 400 多个由农场主主持的土地所有者团体，他们共同研究、切磋怎样解决问题。他们认为对流域的管理，人类是不可能真正驾御自然的，但是可以实现人与自然之间的和谐相处。

黄河的管理模式是统一规划、统一调度，流域管理与区域管理相结合。今后需要进一步完善，完善的关键点在于进一步强化流域机构的法律地位和它的法律手段。

12.2.5　对流域一体化管理的一句话总结

Don Blackmore 先生认为，流域一体化管理就是要了解社区的需求，如何保障环境，并且管理好自然资源，有效地实现目标。

Pierre Rossel 先生认为，每个国家所面临的问题不同，采取的解决方法也不同，但是从长期角度讲，是有共同点的，就是要对本流域有很好的了解，通过经济、政治的手段更好地管理好流域。

李国英主任认为，流域一体化管理的职责和追求的最高目标是维持河流健康的生命。

　　Peter Spillett 认为，流域一体化管理是一个战略性的规划体系，需要公平地分配水资源，在不同的相互竞争的用水户之间分配水资源，保障可持续发展。

12.2.6　其他方面

　　(1)本届黄河国际论坛的成果如何。李国英主任认为，大会取得的成果是超值的。在这次会议上，来自不同流域的外国专家介绍了他们各自在流域管理中的经验和做法，其中有一些对于黄河乃至整个中国北方地区的缺水流域，都会有很重要的启发意义。

　　(2)对黄河的感情。李国英主任把对黄河的感情用一个词概括为"执著"。原因是黄河是我们中华民族的母亲河，是中华民族的摇篮，同时又是世界上公认的最复杂最难治理的一条河流。

　　(3)黄委能否成为一个大一统的管理机构。李国英主任认为，黄委不可能成为第二个田纳西河流域管理局，不可能是一个很强的大一统的政府管理作用下的管理机构。

　　(4)黄土高原的治理问题。黄土高原是造成黄河难治的一个重要的问题发源地，目前对黄土高原的治理，采用的途径是建设淤地坝。加快淤地坝的施工进度，首先是施工方法本身能不能实现机械化。定向爆破、轮胎筑坝等快速的筑坝方式是可以探讨的途径。淤地坝的经营问题是个非常重要的问题，解决这个问题的方法是实现产权多元化。

　　(5)Pierre Rossel 先生对黄河管理的建议。第一，水的管理是一个非常缓慢的长期过程，做任何事都要考虑到它对河流所产生的影响。第二，弹性问题，在做决策的时候，要考虑到有关的灵活性和可持续性。第三，有关的监管监督，监管需要广大民众的参与，还要建设一个好的数据库。好的数据库是进行管理的信息基础。

　　(6)墨累－达令河流域的生态环境建设资金来源。其资金来源主要是政府投资。

　　(7)政府和企业在流域管理中的职责。Peter Spillett 先生认为，政府的职责是制定法律进行监督，企业在法律框架内对水务进行管理和经营。

　　(8)私营体制下的英国水价问题。私有化后，英国的水价在不断降低。原因是私有化使工作效率大大提高了，人员的开支成本大大降低，管理系统的规模大大缩小，资金更容易筹集。

　　(9)中国的水资源管理情况。中国的水资源管理起步较晚，目前的工作还不能符合经济、社会发展的需求。但是，中国的流域一体化管理已经取得了很大的成就，第一，提高了城市和农村的水质。第二，提高了水资源发展和利用的效率。第三，提高了水资源服务的质量。一体化的管理解决了机构的重复设置、没有具体一个机构负责任以及低效率等问题。尽管遇上了几次大旱，黄河在最近没有出现断流，就是因为采取了这种综合化的流域一体化管理措施。

12.3　体会和建议

　　本届黄河国际论坛青年分会场为黄委的广大青年职工提供了一次开阔视野、增长见识，与国内外专家和高层领导交流的机会，同时也向国内外专家和领导展示了黄委青年的良好素质和风采，使他们重新认识了黄河青年，并对黄河青年寄予了很高的评价和希望。黄委广大青年职工通过这次对话会，受到了很好的教育，了解了国际流域一体化管理的现状、动态以及先进的管理方法和理念，对世界河流存在的问题和解决的方法有了新的认识。这对于黄委青年在今后的治黄实践中所采取的理念、方式和方法都会有着不同一般意义上的启发。特别是这次对话会大大激发了黄河青年对黄河的热爱，使他们感到作为一名治黄人的骄傲和自豪。同时，也使他们对治黄事业有了新的更高层次上的认识，增强了治理黄河的信心和决心。

　　首届黄河国际论坛的举办，为黄委带来了先进的管理理念和技术，这种影响是不可估量的，如果青年人能够尽可能多地参与其中，其影响会更大。因为，青年是我们事业的生力军，对各种事物和信息的接受能力和速度都很快。因此，建议在以后的每届黄河国际论坛中都增设青年分会场，使青年分会场真正成为黄河国际论坛的一个有机组成部分。